Marques Rebelo

Francisco de Ary Quintella

3ª Edição, 2001

Diretor Editorial
Jefferson L. Alves

Revisão
Francisca Meirelles Miranda
Margaret Presser

Produção Gráfica
Milton Minoru Ishino

Dados Internacionais de Catalogação na Publicação (CIP)
(Câmara Brasileira do Livro, SP, Brasil)

Rebelo, Marques, 1907-1973
Os melhores contos de Marques Rebelo / seleção de Ary Quintella. – 3ª ed. – São Paulo : Global, 2001.

ISBN 85-260-0562-6

1. Contos brasileiros I. Quintella, Ary, 1933 II. Título.

84-1430 CDD–869.935

Índices para catálogo sistemático:

1. Contos : Século 20 : Literatura brasileira 869.935
2. Século 20 : Contos : Literatura brasileira 869.935

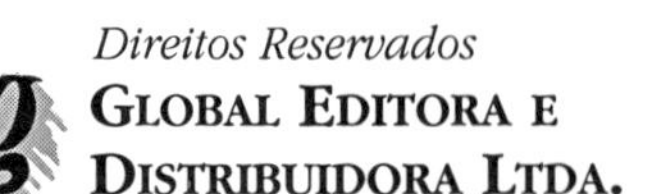

Rua Pirapitingüi, 111 – Liberdade
CEP 01508-020 – São Paulo – SP
Tel.: (11) 3277-7999 – Fax: (11) 3277-8141
E.mail: global@globaleditora.com.br

Nº de catálogo: **1476**

ARY GUERRA DE MURAT QUINTELLA

Nasceu no Rio de Janeiro, em 1933.
Obras: Combati o bom combate, *romance, 1971;* Um certo senhor tranqüilo, *contos, 1971; Retrospectiva crônicas, ensaios, contos, 1972;* Qualquer coisa é a mesma coisa, *contos, 1975;* Sandra, Sandrinha, *novela, 1977;* Cão vivo, leão morto, *juvenil, 1980;* Titina, *juvenil, 1982;* Mamma mia!, juvenil, *1983. Prêmios: "Jannart Moutinho Ribeiro", da Câmara Brasileira do Livro; "Destaque Juvenil", da Associação Paulista de Críticos de Arte; "Monteiro Lobato", da Academia Brasileira de Letras.* Cão vivo, leão morto *foi considerado "Altamente Recomendável para Jovens", pela Fundação Nacional de Literatura Infantil e Juvenil, e* Titina *"Altamente Recomendável para Crianças", ainda pela FNLIJ. Em 1981, instituiu o Prêmio Alfredo Machado Quintella, anual, para literatura juvenil. Foi traduzido para o polonês, inglês e espanhol.*
Faleceu em 15/09/1999

Em 1982, participei — membro da Comissão Organizadora — da 1.ª Bienal Nestlé de Literatura Brasileira, dividida em vários módulos, um dos quais foi o Seminário, onde "o alto nível dos textos e o caráter polêmico de que se revestiram as questões propostas testemunham a relevância do acontecimento, cujas repercussões, estamos certos, ultrapassaram os limites do auditório e da própria Bienal, para situar-se no território da discussão em aberto", segundo palavras de Domício Proença Filho, Coordenador-Geral da Bienal, em O livro do Seminário, *LR Editores Ltda., São Paulo, sem data de publicação.*

Aceitando os termos de Domício Proença Filho: para situar-se no território da discussão em aberto, *gostaria de falar um pouco do Seminário para poder falar mais precisamente sobre Marques Rebelo.*

Pessoas ilustres foram convidadas a participar do Seminário. Os expositores, debatedores, subdebatedores eram pessoas brilhantes, de ponta *na área de literatura, de permeio a escritores, professores, jornalistas especializados ou não, estudantes, vacas sagradas e candidatos a vacas sagradas.*

Todos reunidos lá, no soturno, gotejante Anhembi, naquele frio mês de agosto de 1982, sofrendo o inverno paulista. Subitamente, me dei conta de dois fatos curiosos:

— noventa por cento das opiniões, perguntas, palpites, observações tratavam de política;

— parecia não estarmos no Ano da Graça de 1982, pois ninguém, nenhum dos presentes manifestou-se sobre acontecimentos das duas décadas anteriores, como: a chegada do homem à Lua, a descoberta da estrutura do ADN e de técnicas avançadas de informática, sem contar a instantaneidade — absoluta — dos meios de comunicação, o que, aliás, todo mundo conhece.

Porém, por razões misteriosas, talvez aterrorizantes, se pensarmos bem, não ouvi no Seminário nenhuma referência a nenhum desses acontecimentos, como se tudo isso estivesse ocorrendo em Marte, Sirius, Plutão, jamais aqui, em nosso planeta. Como se tudo isso não nos afetasse profundamente.

Pois o dever do escritor, especificamente do ficcionista, é escrever sobre o seu tempo, ou, quando escrever sobre tempos passados ou futuros, respeitar os signos característicos desses tempos. E aí, quando mostra sua agudeza, sua afinação com os sintomas de um tempo determinado, é que o escritor demonstra seu profissionalismo.

Não é por acaso, simples acaso, que Camões é lido mesmo nos dias atuais. Quem desejar saber a geografia dos séculos XV e XVI, a utilização dos instrumentos de navegação *daquela época, terá de ler* Os Lusíadas. *Pois Camões absorveu toda a ciência de seu tempo, transformando-a — literalmente — em poesia.*

Por isso, me senti aterrado naquele gélido Anhembi. Nenhum sintoma *dos tempos atuais era mencionado no Seminário. Nenhum dos autores citados o foi por apresentar essa característica: conhecer os* sintomas *de seu tempo, ou do tempo sobre o qual escreveu.*

Porque se um autor apenas está preocupado com a trama, ou enredo, do que está escrevendo ou a maneira, o jeitão de narrá-la, creio seja inútil fazê-lo. Porque todos os enredos possíveis, todas as tramas concebíveis já foram escritos antes, a partir da nossa velha Bíblia.

E se livros são escritos atualmente, se livros são publicados e lidos atualmente é porque têm a marca, apresentam os sintomas *do tempo presente. Daí ser lido Harold Robbins. É porque ele só escreve sobre coisas que estão se passando no presente, mostrando todos os* sintomas *do presente, desde possantes carros esportivos até a mais terrível maquinação da Máfia.*

Em termos mais específicos: os bons autores colocam em seus livros uma parafernália cultural *atualizada. E parafernália cultural é apenas o título pomposo dos* sintomas *de uma época. É o conjunto de coisas culturais representativo de uma época. Quando nós pensamos, por exemplo, nos anos 20, imaginamos logo saias curtas, plissadas, cabelos curtos, faixa na testa, longas piteiras, carros conversíveis e o* shimmy, *aquela dança em que as pernas se flexionam abaixo dos joelhos.*

Pois tudo isso que nos recorda a década dos 20 é a parafernália cultural *dos anos 20. E qual o escritor que nos recorda a* parafernália cultural *dos anos 30? Gostaria de fazer uma interrupção e citar a mim mesmo, reproduzindo trecho de matéria publicada na revista CULTURA, n.º 28, de 1978:*

"OPA — Opa, sai da frente. Depois do povão, das mansões de Botafogo, dos casebres dos subúrbios, chegamos à classe média. Batemos na Tijuca, no Grajaú, no Estácio. Após a Festa do Divino, vamos desfilar no Azul e Branco, ouvir os jovens Francisco Alves, Aracy de Almeida, a música de Lamartine Babo.

Este é o Brasil que derrubou a República Velha, a política do café com leite, e principia a desconfiar de seus produtos primários. E este é o Rio de Janeiro, a Cidade Maravilhosa, finalmente liberta da febre amarela, que escuta pacificamente a Rádio Mayrink Veiga.

Estamos nos anos 30. Na Europa, aquele facínora chamado Hitler já ocupou o Sarre, e se prepara para abocanhar a Tcheco-Eslováquia. No Rio, são desbaratados os últimos focos da oposição. O Brasil venceu — faz cinco anos — a Copa Rio Branco de 32.

Teixeirinha, bêbado, começa a cantar a última serenata do Rio de Janeiro. Sua dama não porta véu e grinalda. É Rizoleta, antecessora de nossas estimáveis massagistas, operária do Mangue, prestimosa, afável, em cujo pagamento não consta adicional de risco de vida, apesar da sua estar à mercê de valentes espiroquetas. Fala, Marafa!

REGIONALISMO — Apesar da pertinaz badalação dos tais inventores de 22, a literatura brasileira refugiou-se no regionalismo. Houve o ciclo da cana-de-açúcar, do cacau, a cana-de-açúcar irrompe novamente, o cacau também, não fizeram nada sobre o café, que paulista já partira para a aceleração de seu processo industrial, e praticamente todo o regionalismo nacional é saudosista, e paulista não está nessa de se lamuriar e ficar recordando os felizes tempos em que viviam — fartos e gordos — à custa de prear índios. Quero dizer: embora o regionalismo fosse corajoso, desabrido, foi também reacionário à medida que não enxergava o Brasil que nascia e se refugiava na lembrança de nosso feudalismo caboclo, o coronelismo do sistema latifundiário.

Após Lima Barreto, foi um carioca, ainda um carioca, Marques Rebelo, quem teve iniciativa para sentir *os novos signos que surgiam: automóvel, rádio, boxe, os amores fugidios no Joá, a beleza do maior show da Terra: as escolas de samba, a tragédia pessoal para se atingir o estrelato. A zorra do Carnaval, a doçura permanente da mulher carioca.*

Marques Rebelo sabia que novos tempos chegavam, que o País sacudia a madorra, que a cidade crescia. Deixa a Luizinha pra lá, se esquece de Capitu, Clara dos Anjos fez *porque foi burra. Mas Rizoleta* faz *porque é fácil, alegre, e vive na cidade mais bonita do Brasil. É o tempo dos bigodes finos e calças de boquinha apertada. É o velho Rio marlandi, safado, estuante de vida.*

Este é Eddy Dias da Cruz, único ficcionista carioca a utilizar pseudônimo: Marques Rebelo, que falou do povinho e entrou para a Academia Brasileira de Letras, que, mais uma vez, foi o primeiro ficcionista brasileiro capaz de perceber que vivíamos no século XX, e de que não necessitávamos — absolutamente — de modelos estrangeiros e de que, por mais dura fosse a vida, ainda assim valia a pena ser vivida."

Neste volume, estão reunidos contos de Oscarina, Stela me abriu a porta *e dois contos avulsos. Vocês poderão reparar como a narrativa de Marques Rebelo vai se aprimorando com o tempo, até chegar a essa maravilhosa história picaresca, debochada, inteligente, malandra, que é* Acudiram três cavaleiros.

Ah! Já ia me esquecendo: Eddy é pronunciado assim: êdi. Espero que gostem da seleção de contos escritos por Marques Rebelo.

Ary Quintella

CONTOS

OSCARINA

— *I* —

Chegava a esmurrar a cabeça:

— Como há de ser, meu Deus, como há de ser?!

Jorge não atinava com a resposta e há três dias andava preocupadíssimo, emaranhado no denso cipoal das conjeturas, na esperança duma solução honesta para a situação que ele próprio criara. Passava as noites em claro, noites lassas de verão, povoadas de mosquitos, impertinentes, coçava a cabeça de minuto em minuto no escritório, poeirento, antiquado, quente como um forno no rigor daquele fevereiro bravio; perdera o apetite, não comia direito, dormia em cima da sopa, um grosso caldo de batatas com salsa e aletria boiando, em que Dona Carlota era emérita. Seu Santos interpelou-o, o garfo cheio, suspenso:

— Você não come, rapaz?

— Ah! — exclamou, acordando.

— Está no mundo da lua?!... — muxoxeou o pai, agastando-se, o que, por dá cá aquela palha, acontecia.

— Não.

— Pois parece.

Houve um silêncio no mastigar de Seu Santos que cruzara os talheres, satisfeito — estou cheio! — e escolhia um palito no paliteiro de vidro azul, a Fortuna com a sua abundante cornucópia.

Subindo pela janela da área, o jasmineiro embalsamava a sala com um perfume de entontecer. A mosca desapareceu com o safanão higiênico de Dona Carlota, que imaginando lá com os seus botões: Aqui há dente de coelho... — não ousava perguntar nada. Olhava para o filho, olhava para o marido... Jorge se achava novamente a cinqüenta léguas da vida, Seu Santos gostava de goiabada com farinha:

— Onde está a farinheira?

A mulher saiu correndo, medrosa:

— Já vai — e desculpava-se: — Não é que eu me esqueci!... Preciso tomar fosfatos. Ando com a cabeça oca.

Jorge abismava-se nos seus pensamentos. Pedir conselhos? Tomar conselhos? Ele que nunca fora de conselhos... E com quem? Só se fosse com Seu Fontes. Dr. Fortunato também poderia, com Tenente Afonso, porém, seria mais acertado. Sobrevinham-lhe embaraços razoáveis, dada a sua índole: como é que haveria de falar sendo Tenente Afonso tão esquisito, tão seco, parecendo cumprimentar os outros por favor? Era o diabo!... O melhor mesmo seria resolver por conta própria. Afinal se decidiu: Puxa! iria assentar praça, como voluntário, no Forte de Copacabana, onde diziam que o serviço era mais folgado e havia banhos de mar.

Bebeu o cafezinho requentado, levantou-se, botou o chapéu na cabeça e gritou do corredor, comprido e úmido:

— Bênção, papai. Bênção, mamãe.

Seu Santos, entretido com a *Notícia,* perto da janela onde havia mais luz, que a sala já estava ficando escura, nem respondeu, mas a mãe, que estava lavando pratos na cozinha, chegou até à porta e implorou um favor em forma de pergunta:

— Você volta cedo, meu filho?

Acendeu um cigarro, bateu o portão com força para a peste do Pirulito não fugir, e acenou:

— Alô, Henrique!

O rapazinho pálido respondeu do alpendre fronteiro:

— Alô, Jorge! Vai dar a sua volta, hem!

— É.

— Está bonita a tarde — e olhava-a.

Jorge, pouco amante de belezas naturais, olhou também. A noite de estio vinha tardiamente descendo dos morros, cálida e doente; cigarras vespertinas chiavam na distância, líricas, divinas; entre risadas, tocava-se piano no chalé da viúva Lamego, cuja fachada fora festivamente pintada de verde para o casamento da Loló.

— Bem, té logo — ajeitou a palheta e tocou para a casa da namorada, que era perto.

O rapazinho seguiu-o com os olhos mortos, uns olhos baços e encovados. Era alto, um rosto infantil, os ossos furando-lhe a carne, entrevado de nascença. Viu-o dobrar a esquina. Viu passar a filha de Dona Dalva, que trabalhava na cidade, viu os meninos jogarem gude, no jardim do 58, numa algazarra, "Marraio, feridor, sou rei", "Fui eu! Não roube!" e recolheu-se, tão inútil se sentia — tão inútil e a tarde tão linda, arrastando-se penosamente com o auxílio das muletas, enquanto o riso dos pardais, despencando das folhas, ia atrás dele.

— *II* —

Jorge dera um dia uma grande cabeçada, deixando de estudar para ir ganhar a vida, outra vida melhor do que a que lhe dava o pai como estudante, fácil, despreocupada, cinemas com abatimento, suas brincadeiras à custa de colegas abonados como o Décio, um perdulário. É o destino. Abandonara tudo para trabalhar, que se metera esta idéia na cabeça, e entrou para Souza Almeida & Cia., negociantes em grósso (fumos, cachimbos, artigos para fumantes em geral), um sobradão na Rua do Rosário.

Souza Almeida, que já dobrara o cabo dos cinqüenta, claudicava duma perna, era boa pessoa, gordo, amável com os empregados: "Seu Jorge, faz favor", "Seu Jorge, olha o pedido da Charutaria Princesa. Tenha a bondade de não se esquecer". Seu Jorge pra cá, seu Jorge pra lá. Bem estava vendo que era a besta de carga, mas no fim do mês contava receber grosso; também, calculava, negociantes em grosso eram eles, Souza Almeida & Cia.

Mas qual!... Foi uma desilusão! Cento e vinte mil-réis só. Deve ser engano, matutou, que de enganos anda o mundo cheio. Tinha a ingenuidade dos que saem dos carinhos caseiros, prenhes de facilidades e larguezas.

Chegou-se para a alta escrivaninha onde Seu Gonçalo, guarda-livros, velho como a casa, amarelo e sujo, trabalhava em pé:

— Está certo, Seu Gonçalo?

— Por que não? — perguntou-lhe Seu Gonçalo, cara de bobo, arranhando a caspa com a caneta.

A pergunta valia por uma resposta, não há dúvida. Jorge meteu o dinheiro no bolso, deixou o guarda-livros estranhando, conferindo o Caixa, falando alto: Fui eu que contei o dinheiro... Fui eu... — e foi pegar o bonde das seis e dez com uma fome canina.

O Largo de São Francisco regurgitava de povo na tarde quase-noite. O anúncio luminoso acendia e apagava. Um cheiro forte de chocolate errava no ar. Homens tossiam. Se o rádio não fosse tão fanhoso, compreender-se-ia a letra do samba muito bem.

Estava repleto o bonte, gente pendurada nos balaústres. Dlém! Dlém! o motorneiro batia a campainha, impaciente. Cavou um lugar apertado no reboque e explodiu:

— Isso é que se chama uma injustiça! Cento e vinte mil-réis... Parece incrível!

Teve ódio do velho Souza Almeida; sentiu ímpetos de voltar, entrar pelo escritório adentro, aquele escuríssimo escritório, no fundo da loja, onde a Nair, datilógrafa, definhava de tanto escrever cartas para o interior, e estraçalhá-lo a murros e pontapés, quando se lembrou da manhã em que fora tratar o emprego, uma manhã alegre, as casas parecendo sorrir ao sol outonal. Tinha ido com a roupa azul-marinho, a melhorzinha, que a mãe passara a ferro com cuidado. Souza Almeida prodigalizou-lhe gentilezas:

— Quanto ao ordenado, meu caro, não tem que pensar, deixa isto por minha conta. Trabalhe — e punha-lhe no ombro a mão esperta — trabalhe é o que lhe digo, no fim do mês saberei recompensá-lo.

Bonita recompensa, não tem que ver! Exploração é o que era. Fazia as contas: almoço, sessenta. Ficavam sessenta. Bonde, mais doze. Sobravam quarenta e oito. Muito bem. Agora, cigarros, dezoito. Médias, outros dezoito. Somando tudo: cento e oito. Restavam-lhe doze! Doze! — berrou — doze mil-réis! O vizinho de banco se espantou, um senhor com cara de honrado e embrulhos pacatos para a família. Jorge encabulou, vermelho como um camarão. Tentou assobiar. Olhou anúncios. O veículo comia ruas, cortava praças, atravessava avenidas, jogando casas para trás, barulhento e desengonçado. Acabou por voltar à sua indignação:

— Puxa, que safadeza igual a esta nunca vira! Mas eles me pagam, ora se pagam!... Quero que me cortem a cabeça...

Sacudiu a campainha com energia, saltou sem esperar que o bonde parasse, desceu a rua a passos largos, furioso. Na fúria em que ia esbarrou com o quitandeiro que saía do 37 e foi grosseiro:

— Você está cego, seu galego?

Deixou o homem, humilde, gaguejando desculpas, não cumprimentou Dona Filomena (senhora do Seu Jacinto dos Telégrafos, com um telefone de que toda a vizinhança se servia), chegou em casa como uma fera.

Contou tudo, aumentando: Eu faço isso, minha mãe, eu faço aquilo, a correspondência, as notas de entrega — uma maçada! — o protocolo...

Dona Carlota não sabia o que era protocolo, mas não perguntou, fez-se de sabida, devia ser uma coisa importante naturalmente com um nome daqueles — o protocolo.

Resumiu: Eu faço tudo — e encostou-se no etager, mudo, a cabeça enterrada nos punhos cerrados.

Dona Carlota choramingou — uma injustiça mesmo. Deu razão ao filho: Que coisa, já se viu? Das sete da manhã às seis da tarde, almoço fora e trabalho a valer — a correspondência, as notas — não é? — o protocolo. Enchia a boca e repetia: o protocolo... Qual!... Isso assim não tem cabimento... E balançava a cabeça.

Jorge mostrou-se mais contente, aliviado, esboçou até um sorriso magro, abraçando frouxamente a velha:

— Paciência, minha mãe... — Fez-se de sacrificado, de resignado: — A vida é assim, dura.

Precisava de qualquer coisa dura como a vida para ilustrar a sua resignação. Deu, na mesa, um soco forte, de antigo extrema-esquerda do Aimoré Esporte Clube: como isto.

O pai, que tinha ido fazer uma visitinha ao Antero, que estava de cama com erisipela, chegou nesta hora. Era baixo, curioso e terceiro-oficial do Ministério da Marinha:

— Como isto o quê?

Dona Carlota enxugou, rápida, na ponta do avental de xadrezinho as últimas lágrimas, Jorge refez, aperfeiçoadamente, a cara sinistra com que viera e, ajudado pela mãe, foi verboso, teatral. O pai ouvia calado, em pé, no meio da sala. Ele prosseguiu trágico e fecundo: as injustiças, as lutas diárias... Ele, pau para toda obra, sim senhor. Precisavam de alguém para dar com os costados em caixa-prego? Todos tiravam o corpo fora. Ele, não. Ia. E os dias inteiros na Alfândega, no Cais do Porto, no meio de estivadores, sujeitos brutíssimos e perigosos?

Gostou do seu modo de falar, achando-se inteligente no discorrer fácil e imaginativo das suas lutas, dos seus sacrifícios, dos seus esforços. Saboreou interiormente os gestos largos, solenes, ora acabrunhados de lutador vencido, ora triunfadores de herói pronto para continuar, para suportar novos reveses, certo da vitória final. Por um momento, até, passou-lhe pela cabeça a idéia de ser ator de teatro e já ia sonhar sucessos, seu nome em letras enormes no cartaz do São José, quando o pai, esboçando um sorriso, pôs ponto final no assunto, frio como um sorvete:

— A vida é isto.

— Que é isto sei eu — respondeu, meio malcriado, meio decepcionado. E olhou, com ódio, a mesa: dura!

Estava varado de fome. Quando era menino a mãe lhe dizia: "Está com fome? Vai na rua, mata um homem, tira as tripas..." Hoje... Não quis jantar; trancafiou-se no quarto pequeno, caiado, arrumadinho. O pai não se impressionara com a arenga que fizera. Idiota! Também... Também, analisando os fatos, a culpa fora dele: para que aquela asneira de querer ganhar a vida? Tolice. Agira como um babaquara tomando birra ao estudo à toa, porque tinha até muita sorte: estudava pouco e passava em tudo quanto era exame. Raspando, mas passava, e era o que valia. Tinha, porém, inveja dos camaradas empregados que não estudavam, que não ficavam mais magros por não saberem os teoremas de geometria, nem os verbos irregulares ingleses, dos quais o Benzabat atulhava treze páginas, o bandido, e tinham — felizardos! — a noite inteira para jogar na gandaia. E as festas do Ginásio, do Orfeão, do Clube Euterpe!... Aquilo, sim, é que era vida! Por aquilo é que ele ansiava. Não quis acabar os preparatórios, faltando-lhe apenas três. Bobo! Queria ir para o comércio. O pai se opusera, com vontade que ele fosse doutor, único filho, que diabo! Valia a pena. Sempre era uma honra para a família e para ele, principalmente, que era o chefe. Devaneava:

— Apresento-lhe aqui o prezado amigo Augusto dos Santos, digno genitor do ilustre Doutor Jorge dos Santos...

Que gozo! Doutor... Cantava-lhe nos ouvidos como uma música do céu.

Fora quando a mãe, a medo, entrara pela primeira vez no meio da resolução dum problema doméstico mais elevado:

— É ajuizado o Jorge, Augusto. Estava pensando bem. Eles eram pobres e a vida, cada dia, pior. Um curso era bonito, não tem que ver, nem o Jorge negava — não é mesmo? — mas custava caro. Podia se fazer um empréstimo, alguns sacrifícios, eu, por mim, vendia o adereço que foi de mamãe com todo o gosto... Mas se ele depois de formado não conseguisse clínica? É tão comum. Você mesmo não diz que a repartição está cheia de doutores? Assim ia cavando a vida desde logo. Cedo é que se começa, diz o ditado.

O pai achatou-se:

— Pois que fosse. Depois não se arrependesse...

E agora ele devia estar gozando, gozando e consertando o rádio de galena da sala de jantar. Jorge só, sentado na cama, mastigando um sanduíche de carne que a mãe lhe viera trazer escondida, "porque eram perigosos esses abalos morais com estômago vazio", sacudiu os ombros num imenso desalento.

— Você quer um chocolate, meu filho, eu vou fazer?

Não respondeu — enroscou-se no travesseiro com desespero. Dona Carlota teve ímpetos de abraçá-lo e consolá-lo, quis ficar com ele nos braços, longamente, acalentando-o como quando era pequenino, "Dorme, dorme, meu anjinho, dorme, dorme, meu amor..." Dona Carlota, porém, era tímida. Dona Carlota tinha medo. Insistiu só, fracamente, com a voz trêmula:

— Quer?

— Nããã-o.

Saiu devagar, fechando a porta com cautela. Para que mais lágrimas? Fez-se forte para tomar chá. Seu Santos tirou o fone dos ouvidos:

— Carlota!

— Que é?

— As torradas estão moles, moles.

— *III* —

Sozinho, Jorge olhou, na parede, o santinho emoldurado, lembrança da sua primeira comunhão, e teve vontade de chorar. Apertou os olhos — nem uma lágrima. Há tanto tempo não chorava!... Perdera o costume, que chorar também é questão de hábito, raciocinou. Zita chorava tanto, tão sentimental, uma torneira aberta. Recordação da Zita, saudade dela propriamente talvez não, mas no tempo em que brincavam juntos, marido e mulher (Sá Alexandrina, que dentes brancos, se ria: estes pequenos!...) e ferravam brigas tolas por causa do nome do filho, um boneco feio como jamais vira outro, os braços quebrados, a roupa vermelha, presente de Papai Noel numa noite de Natal.

Que saudade desconhecida lhe veio daquele tempo passado, em que, descuidado, pensava unicamente em brincar. Ralava-se também um pouco, quando chegava a hora de ir para o Jardim da Infância na escola pública do Bulevar, um casarão roído pelo tempo, com azulejos verdes na fachada. Ralava-se sem motivo, que não era má a vidinha da escola, b-a-bá, b-e-bé, em coro com a gurizada, o João, o Lelé, o Chininha, cearense sabido como ele só. A merenda à uma e meia, pão com goiabada todo santo dia, era um enjôo. Mas Dona Alzira era boa, tão carinhosa, dava bolos, mariolas feitas em casa — estas não fazem mal, as da rua sim — chocolates que mandava comprar na padaria do Seu Tatão, que apelidaram o Bigodudo. Tinha os braços brancos e longos. Mantinha por ela uma admiração irresistível e secreta. Pronunciava, cheio de pejo, o seu nome. Repetia-o para si: Alzira. Separava-lhe as sílabas, decompunha-lhe as letras. Como seria a sua casa? Como seria a sua cama? E os seus pais, que ela tanto dizia amar? Não lhe entrava na cabeça que ela pudesse ter sido criança como ele e rido e saltado e brincado de pique. Tremia todo quando ela cobria a sua mão com a dela, quente como se estivesse com febre, para lhe ensinar como se fazia a perna de um P. Comovia-se com a sua silhueta recortando-se esgalga no quadro-negro, suspendendo-se na ponta dos pés, o giz se esboroando quando o calcava com mais força, para marcar uma conta a ser feita em casa, na quinta-feira, que era dia de descanso. Dava palpites sobre o vestido com que viria, estimando que trouxesse sempre o azul, riscadinho de branco, muito colante, muito decotado, com uma flor de pano presa na cintura, bela como as mulheres que ele vira no cinema. Quanta vez ela o punha no colo para ralhar: "Então, como foi isso, Jorginho? Conte, vamos." Ele custava a explicar só para ficar uma porção de tempo no seu colo cheio e provocante, motivo da excessiva assiduidade do inspetor-escolar, que, apesar de casado, lançava a ele, sempre que podia, tão alvo, tão macio, olhares que não admitiam duas significações.

Numa terça-feira de junho, chuviscava, ela, agasalhada, quando acabou a aula, fez um pequeno discurso aos alunos pedindo que tivessem sempre muito juízo, fossem bons para os pais, obedientes às professoras e estudiosos, e acabou dizendo que aquela era a sua última aula, pois fora transferida para outra escola. Não quisera acreditar — mas por quê? No outro dia ela não veio. Tentou um vão esforço para não chorar com vergonha dos colegas, mas não se agüentou e chorou como um perdido, querendo ir atrás dela. Dona Maria José rira: "Coitadinho!" Dona Hebe, a diretora, esganiçada e meticulosa, também se rira e consolava-o:

— Você vai ficar com Dona Amália, que ainda é melhor — e elogiava-lhe o coração de ouro.

Então, Dona Amália se chegara, um pouco corada, e fizera-lhe festas nos cabelos:

— Que é isto? Um menino tão bonito chorando? Será que não gosta de mim?

Não respondia, emburrado. Ela então se abaixara e dera-lhe beijos, sorrindo, e ele sentia o perfume que ela usava, um perfume esquisito e sufocante.

Dona Amália era boazinha também, mocinha ainda, mal completara vinte anos, magra, delicada, a voz muito fina:

— Agora está na hora da ginástica. Todos para o recreio!

O recreio era o terreiro sombrio, com árvores velhas, carunchosas, enormes figueiras de troncos limosos onde o Gilberto apanhava lagartas. Tinha medo de atravessá-lo sozinho e, quando chovia, ficava como um lago, onde nadavam os marrecos da servente.

— *IV* —

Toda pessoa a quem ele se afeiçoava ia embora. Dona Alzira, tia Gugu, irmã do pai, invariavelmente de preto, que contava histórias de bichos; o Josué, pretinho, empregado que veio da roça, bobo só vendo, nem sabia de que lugar era — donde você é, Josué? Da roça — mas danado para imitar passarinhos; e a Zita também, pois o pai, que era oficial do

Exército, passando a major, foi removido para Boa Esperança, nos confins de Mato Grosso. Fizeram leilão dos móveis.

— Boa Esperança? Longe como o diabo! Chega tudo quebrado, estragado, eu bem sei como são estas mudanças — dissera o pai. É bater o martelo.

Venderam os cacarecos e partiram logo após. Como era criança, ela partiu alegre. Havia de voltar, dizia, Jorge que esperasse, e mostrava-lhe as malas:

— Vai tudo no trem, compreendeu? Depois é que a gente toma o navio. Lá, sabe?

— Onde?

— Não sei. Papai é quem sabe.

Pulava em cima dos engradados, contente, um laço de fita descomunal nos cabelos castanhos:

— Uma lindeza, Seu Mané! — exclamava. — Não sei quantos dias!

Ele ficara triste, jururu. Dona Elisa, a vizinha, que vivia de costurar para fora, levava-o com os filhos à matinê, quase que inteiramente de fitas cômicas.

— É bom para distrair, Dona Carlota. Pobrezinho!... Como ele ficou sentido...

— Eram muito amiguinhos.

— Não, é que ele tem bom coração. Saiu à senhora.

Dona Carlota sorria, embaraçada.

Quando voltava do cinema, brincava de fita em série com o Lucas e o Eudoro, moleque beiçudo, filho da lavadeira, que lhe ensinara os primeiros nomes sujos, motivo para uns poucos tabefes do pai e ameaças da mãe: "Um dia, eu perco a cabeça e boto um ovo quente na boca deste pequeno!" Ele era o bandido e o Lucas, estando por tudo, se contentava em ser polícia, apanhando nas lutas porque era mais fraco.

E ia esquecendo.

— V —

Depois, a vida correu-lhe depressa. Terminado o curso primário, entrou para o *Ginásio Franco,* economicamente como externo. Fez os primeiros preparatórios, mas passou em todos, com muita sorte e alguns pistolões, que Dona Carlota, pondo de parte a timidez, se matava para arranjar empenhos.

Veio outro ano e ele passou em novos exames, e, rapazinho, começou a freqüentar bilhares, rodas de café, bailes, farrinhas, clubes de futebol. Foi sócio-fundador e denodado extrema-esquerda do Aimoré Esporte Clube, que acabou logo, pois o tesoureiro, o Canhotinho, que era ladrão como rato, meteu o pau no dinheiro.

Mas quantos aborrecimentos sofria, quantos cálculos se via na necessidade de fazer para entrar nestas empresas todas, já que o pai, ríspido, queria-o em casa às dez horas — nem mais um minuto, hem! Os colegas caçoavam:

— Que milagre é este! Cinco para as dez e você ainda aqui!. . .

— Vai para casa, criança, que está na hora.

Ele tinha ganas de não ir, de ficar no café, na rua, onde fosse, para provar que não era nenhum maricas como o julgavam. Mas o pai. . . o respeito pela bengala do pai, um junco verdadeiro com castão de ouro, muito gabado, presente do Sr. Correa, um homem rico, milionário, amigo velho da família e que ele não conhecera.

Ora, dez horas, casa. Aquilo ia-lhe roendo por dentro. Deu para estudar. Os rapazes amansaram, num respeito idiota pela aplicação. "Meio maricas o Jorge, mas estudioso, isto é verdade. Estuda pra burro! Não faz outra coisa", elogiavam. Ele ficava mais satisfeito: que animais! Ria-se, intimamente, do jeito com que os obrigara a mudar de opinião a seu respeito. E hipócrita: "Eu gosto de estudar, que é que vocês querem?!". . . Estorcia-se, porém, de raiva por ser tão fingido. De vez em quando se desesperava, entrava no quarto, trancava-se por dentro, não pegava em livro — raios os levassem! — ficava fumando, fumando, lendo romances de Zevaco, aventuras de Búfalo-Bill, algum número atrasado da *Maçã,* que ele roubava da gaveta do Seu Fonseca, bedel do Ginásio, o mais enguiçado, recordista do respeito entre os alunos, sempre com o pincenê preso à lapela por uma fitinha preta e máximas de absoluta moralidade na ponta da língua para uso da meninada.

Invadia-lhe uma inveja mórbida e constante dos vizinhos, o Jonjon — que apelido! — o Cazuza, o Gabriel, que comprara uma barata amarela. Estava escrito que aquilo de estudar não era para ele, não. Precisava, quanto antes, mudar de vida, senão arrebentava. Cair na gandaia como os outros, gozar enquanto era moço. Se ainda tivesse dinheiro... A mesada do pai era uma miséria, sessenta mil-réis, não chegava para nada. Reconhecia: coitado do pai, não podia dar muito, já até dava demais. Mas se enfurecia imediatamente: se não pudesse, que o deixasse livre, que ele não estava para viver com sessenta mil-réis até o dia de se formar! Que não o empatasse com a tal mania de querer que ele fosse doutor! Doutor... Grande coisa! Todos eles uns jumentos!

Livre! Como seria outra a vida, que forra tiraria dos anos em que vivera preso! Logo de saída procuraria um bom emprego, ganharia bastante, seria da turma, do pessoal batuta e fregista do Bilhar Primavera e do Café Pernambuco. Formaria uma trinca maluca: ele, o Donga, assombro no cavaquinho, e o Bilu, uma das suas sinceras admirações, por ser o sujeito mais peludo para pequenas que conhecera. Acabava com as farrinhas escondidas, farrinhas de durante o dia, apertadas, cheias de temores e receios: Se papai souber... Se Seu Franco encontrar com papai e perguntar, com a prolixidade irritante que lhe é peculiar, por que razão não fora ele à aula prática de Física, tão interessante, tão recreativa, sobremodo amena, a base propriamente dita de todo o ensino moderno no conceito firmado dos mais eminentes pedagogos, a aula que o aluno aprende com os olhos, só com olhos, sem cansar...

Se trabalhasse, faria o que lhe desse na cabeça, ficaria na rua, passaria a noite na pândega, voltaria para a casa de madrugada na barata do Gabriel, comprada em terceira mão por uma bagatela, alcunhada simultaneamente de Lacraia, Draga, Banheira, e que o próprio dono achava "mais indecente que Bocage". Trabalho durante o dia ali no pesado, à noite quero gozar — argumentaria, e ninguém podia dizer nada que o argumento, vamos e venhamos, era de peso e medida.

Foi quando principiou a dar sistematicamente em cima da mãe. Ela não se entregou logo porque não compreendia muito bem o que ele queria. Acabou compreendendo: "Tinha razão... Pensava bem..." Com o pai, o caso ficou mais fino que o homem tinha lá seus planos formados, sabe Deus há quantos anos.

— Eu quero que você se forme, meu filho, tenha um título, não pelo simples fato de ser doutor, que doutor não quer dizer ciência — ah! isto, não — mas é que sempre um diploma vale qualquer coisa nesta terra. É um mal, não nego, é um grande mal, mas o certo é que há mais facilidades para se arranjar boas colocações, às vezes até um bom casamento!... Olha o Dr. Borges! Era um pronto quando eu o conheci, numa farmacinha muito à-toa do Catumbi, como prático. Prático nada, lavador de vidros! Defende dali, defende dacolá — pergunta à sua mãe que ela sabe — meteu-se na escola e se formou. Andou marombando ainda uns tempos e conseguiu a tal sinecura na Saúde Pública. Entrou na linha do vento, meu caro! Não fazia nada, vivia socado em cinemas, bailes, teatros, e zás! arranjou a filha do Godói. Três mil contos, meu filho, em dinheiro batido!

Jorge não acreditava nessas histórias: o que ele teve foi muita sorte! — e continuou na obra de sapa. Afinal, Seu Santos se rendeu. Dona Carlota fora colossal para convencer o marido, que tivera, então, a frase: "Depois não se arrependesse..."

— Arrepender, meu pai?! Eu?!... Pois se sou eu que quero!...

Cava daqui, cava dali, o irmão do seu padrinho, que estava no Norte, interessou-se e arranjou-lhe o emprego — *Souza Almeida & Cia.* Simpatizara com os modos de Seu Almeida, trabalhara com uma energia sincera e, no fim do mês, era aquilo que se vira — cento e vinte mil-réis. Adeus, farras sonhadas! Antes os sessenta mil-réis da mesada, que ao menos eram sessenta bagarotes sem despesa. Esteve aos três por dois para pedir ao pai. "Eu quero continuar os meus estudos." Que o pai abriria logo os braços, sabia muito bem, mas temeu ver-lhe cortada a liberdade que adquirira e preferiu ficar com ela, passando misérias, pedindo dinheiro à mãe, que o tirava com dificuldade das despesas da casa, comprando menos carne, atrasando um pouco a conta da padaria, inventando consertos no fogão, de maneira que Seu Santos não desconfiasse.

Pensou em sair do emprego e arranjar com calma um outro, mas pôs logo de parte este pensamento, que não traria uma solução cabal para a sua vida, tão difíceis andavam os tempos, tantas queixas ouvia da falta de trabalho. Melhor seria se agüentar até as coisas melhorarem e foi o que fez. Esfalfar-se é que não, uma ova! Para quê? Cento e vinte mil-réis é dinheiro? Estava lá para ficar tuberculoso por uma porcaria daquelas? Uma beleza o tal de trabalho dali por diante. Calma no Brasil! Nada de fazer força inutilmente, nada de canseiras sem proveito. Bastava a experiência que tivera. Agora era tratar de não ser mais tolo. Uma pacova que ele fosse aos bancos correndo, afobado como ia!... Pressa para quê, se não ia tirar o pai da forca?

Souza Almeida, possuidor de largo tino comercial, não levava, porém, para melhoria dos seus negócios, a sua sagacidade até à trama sutil dos pequenos acidentes de escritório, tanto assim que não percebeu as artimanhas de Jorge, que, verdade seja dita, soube fazê-las com finura.

"Muito bem educado este menino", elogiava por vezes ao ver o interesse diplomático que Jorge mostrava por sua terrível dispepsia e por suas contrariedades comerciais. O sócio, que falava por monossílabos, confirmava: É — e afundava-se nos cálculos do balancete mensal. Seu Gonçalo era o eco do patrão. Jorge agradecia com um sorriso modesto e rosnava pesadíssimas obscenidades que ninguém percebia.

— *VI* —

Ao fazer dois anos de casa, com o ordenado sempre crescente, recebeu novo aumento e ficou com os seus duzentos e cinqüenta mil-réis. Com casa e comida, conjeturava, era negócio, casa e comida, se compreende, à custa do pai. Não tinha muito que se queixar, pois, agora, a vida corria-lhe mais ou menos como ele a concebera, vazia, vagabunda, com maxixes repinicados e chorosos em clubes mambembes e noitadas orgíacas na *Mère Louise* (o automóvel pago por vaquinha) muito regadas a chopes e ditos pornográficos da Claudina, mulatinha do outro mundo, que já tomara lisol por ciúme dum Sargento da Polícia.

Eis, porém, que a sua vida se transforma subitamente. É que a Zita, uma moça já, voltara de Mato Grosso, definitivamente, porque o pai, que se reformara, queria morar no Rio, farto da vida pastrana e monótona do interior.

Após tantos anos de separação, a primeira vez que se encontravam foi cheia de sincera emoção.

— Como mudaste, meu Deus! — mirava-a bem — estás bonita! Um pedaço! Mesmo da pontinha! — e fazia o gesto explicativo.

Ela ria francamente:

— Deixa de ser mentiroso...

Jorge bestificado, que ela estava mesmo bonita de verdade, morena, muito queimada pelo sol, os olhos grandes, o cabelo farto e negro (e tinha sido castanho) só sabia dizer chulices de porta de cabaré.

Zita não reparava em tal:

— Nunca me esqueci de você... Pode crer... — sussurrou, pondo os olhos no chão.

Jorge tomou-lhe a mão pequena, fina, delicada, apertou-a com meiguice, ficaram, no meio da rua, sem reparar em ninguém, o tempo correndo, sem palavras.

Venceu o embaraço e procurou marcar um encontro:

— Onde?

Zita não pensou dois segundos:

— Sabe duma coisa?

— O quê?

— Melhor é você ir lá em casa, depois do jantar, assim pelas oito horas, ouviu? Eu espero no portão.

— Mas teu pai?

— Eu falarei com ele — respondeu corajosa. — E depois nós não fomos amiguinhos em pequenos? Não tem que reparar...

Jorge ficou como doido, dando para amar que foi um descalabro. Era trabalho e namorada. Trabalho? Qual o quê! Namorada só, porque no escritório, ele que já não fazia quase nada, menos fez ainda. Era só pensar nela, no sinalzinho que lhe marcava o pescoço, no seu jeitinho molengo, no modo engraçado que aprendera em Mato Grosso para dizer certas coisas, na sua admiração pelo Rio, tão grande, tão diferente, cheio de avenidas, de arranha-céus, de luxos, de novidades. Tirava da carteira o retratinho dela, recortado dum grupo, num piquenique, disse-lhe, e ficava mirando-o enlevado, distante. Jantava voando, engolindo sem mastigar. Dona Carlota observava-o:

— Você parece pato. Depois quando ficar com o estômago esbodegado levanta os braços pro céu.

— Não faz mal.

Saía à toda para a casa dela, que já o estava esperando, passeando na calçada.

Teve uma idéia. Perguntou-lhe à queima-roupa:

— E se nós nos casássemos?

Ficou trêmula, muda, amassando a blusa, puxando e torcendo o colar japonês fantasia.

— Quem cala, consente... — insinuou ele.

Levantou os olhos negros, redondos, sensuais:

— Você respondeu por mim.

Deu-lhe uma imensa vontade de beijá-la, tremia, avançou, ficou colado ao seu corpo, mas estavam na rua, conteve-se, foram andando devagar, mãos dadas, felizes, até à esquina, onde havia um botequim.

Ela rompeu o silêncio para contar-lhe uma coisa que guardara:

— Sabe que titia disse?

— Que foi?

— Disse que você era muito antipático e que não me fiasse nas suas promessas.

— Ela é besta.

— Não fale assim — afagou-lhe a mão. — Eu não dou importância ao que ela diz. Pensa que eu não conheço titia? Tem dessas e até piores, mas no fundo é boa alma.

Esteve para desembuchar o que pensava da tia dela, uma cretina, despeitada, invejosa. Para solteirona é assim mesmo — ninguém presta. Todo mundo tem defeitos, todo mundo é à-toa, toda gente tem podres, fez isso, fez aquilo, tudo porque não arranjou um desgraçado que quisesse casar com ela. Tanto automóvel nas ruas e nenhum para lhe dar uma cacarecada que arrebentasse logo. Zita, porém, ficaria triste, era tia, não compreendia que se pudesse ser desrespeitoso com gente do seu sangue, afinal, preferiu guardar, que não faltaria ocasião para soltar a língua, tinha certeza.

As casas adormeciam, apita o guarda-noturno, brincam os raios da lua nos galhos da amendoeira. Despediram-se.

— Adeusinho!

— Adeus.

Ao chegar em casa, deitado na cama, pronto para dormir, é que se lembrou da face financeira da proposta. Como poderia se casar com duzentos e cinqüenta mil-réis por mês? Era o que percebia no emprego, sem o protocolo, entregue, então, aos cuidados dum empregadinho novo, imberbe e rosado, o Gouveia, que ele, com parte de antigo, fazia de cristo, sem piedade.

Precisava duma saída para a entaladela em que se metera. Gostava de Zita, gostava, gostava até demais. E que esposa melhor do que ela poderia encontrar? Casar com mulher rica é muito bom mas é para os trouxas. Era bonita, bem feita de corpo, inteligente, não era assanhada como essas melindrosas que andam por aí, conhecera-a desde pequeno, sabia quem ela era. Mas como poderia casar sem o suficiente para viver? Seria loucura. Teria que se movimentar para obter uma colocação melhor. Assim, sim. Mas para que lado havia de se mexer? Tudo tão difícil, tão negros os horizontes do comércio... A crise, a crise! — era o fantasma de todos. Aí se lembrou que não era reservista... Upa! Precisava tirar a caderneta quanto antes, senão poderia ser sorteado. Sorteado? Pronto, tinha uma idéia! Uma idéia brilhante e salvadora! Iria assentar praça no Exército como voluntário. Teria assim um ano e tanto de espera forçada, quando saísse entraria para um ministério... Ruminou isso três dias, acabando por se abrir com a namorada.

Zita pesou as coisas e ficou de acordo — está bem, sim — mas veio a ele o receio de expor ao pai a sua resolução. Era maior, pensava, mesmo que ele não gostasse, pouco lhe daria e iria mesmo, resolvendo a situação a parodiar a maneira de agir, pessoal e resoluta, do Pereira, o cabeludo carregador da casa: "Achou ruim? Faz meio-dia!" Dominava-o ainda, porém, o respeito pela bengala, o célebre junco verdadeiro... Sebo! Que o pai não se atreveria, ele não era mais nenhuma criança! Vá para o diabo o temor! Quem não arrisca, não petisca. Arriscou e esperou o cataclisma, um vendaval, um tufão, pois quando o pai se zangava era uma tragédia, perdia a cabeça, tinha asperezas lusitanas, reminiscências nítidas do avô: "Dou-lhe uma tarracha que o escacho! Quebro-lhe o meu junco nas costas, patife!" crescia a voz e colocava muito bem os pronomes. Veio uma brisa mole: "Faz o que você entender, rapaz." Pasmo! Ponderou, tirou conclusões... Ah! Seu Santos andava nas vésperas de ir para segundo-oficial na vaga de Seu Castro, o asmático, "que tinha ido — como ele dizia sarcástico e piedoso — para o mundo dos anjinhos". Sentia-se, pois, nestas belas perspectivas, muito feliz, duma grande benevolência, com projetos de, com o aumento, comprar um terreno, a prestações, no Encantado, para mais tarde construir uma casinha, pequena, mas confortável. Bangalô é que não. Queria uma casa decente. Interrogava a mulher: "Que é que você diz disso, Carlota?"

Jorge chispou para a namorada. "Tudo às mil maravilhas, filhinha. Como nós combinamos, acabado o tempo, já sabes, cavo um emprego público, que o comércio anda uma bagunça, e nos casamos."

— Você vai ficar muito feio fardado — brincou.

— Pois eu acho que não, vai ver.

— Você é um monte de ossos, e farda não tem enchimento!...

Caíram os dois às gargalhadas.

Na vizinhança, correu logo que estavam noivos. Ele gozou. Ela confirmava, ruborizando-se:

— Sim, noivos intimamente, bem entendido, entre nós... Quando acabar o tempo...

O coronel reformado é que torceu o nariz com aquelas intimidades, mas não fez nenhuma oposição porque tinha absoluta confiança na filha.

— *VII* —

Como Jorge afirmara que fora sorteado — uma espiga sem nome!... — Souza Almeida prometeu guardar-lhe o lugar:

— Lei é lei, meu caro. Vá cumprir o seu dever. Nós o esperaremos.

— Muito obrigado! Nem sei como agradecer... — titubeara, mas, mal se apanhando com os pés na rua, jogou-lhe um gesto feio: Espere sentado, meu idiota!

— *VIII* —

Jorge assentou praça no mesmo dia que se despediu do escritório. Cara de fuinha e orelhas descomunais, inveterado no jogo do bicho, Cabo Rocha Moura, que andou com ele, prestimosamente, dum lado para outro a ensinar-lhe como recebia o fardamento, ou como faria a inspeção de saúde no Quartel-General, garantiu-lhe com gestos adequados e convincentes, "que aquilo era como se fosse um colégio interno, com amigos, horários, saídas e recreações".

No segundo dia, implicou com a cabeça chata de nortista do Sargento Pedrosa e os seus modos brutais: "Cala a boca, seu peste! Vá pra faxina, cachorro!" — num furor disciplinar de sargento novo. Cedo, porém, perdeu a antipatia, pois compreendeu que aquilo era só palavras, excesso de palavras, boca suja, mais nada, um coração de pomba no fundo, incapaz de matar uma mosca, perdoando todas as faltas dos soldados, mas jurando, entre injúrias, "que para a outra vez era ali na batata!"

Aborrecimento de se ver obrigado a fazer exercícios, a sueca principalmente, que o instrutor, Tenente Dantas, mais moço do que ele, era um chato de primeira. Abominava os plantões forçados, a cair de sono e de cansaço, nas noites frias como gelo. Enervava-se com a pasmaceira das horas de folga, dentro da caserna, sem poder sair, sem nada para fazer, vendo a cidade, lá longe, viver ao sol, rútila e colorida, a sua agitação cotidiana. Gozo de matar na cabeça a passagem do bonde, olhando do alto para o condutor xepa.

— Que é que você quer, portuga?

Não pagar. Não conhecia ainda, na vida de soldado, coisa melhor do que a carona. Sem tostão no bolso, cismava de ir à cidade passear, tomava o bonde, ficava de pé atrás, e ia mesmo.

Culote recortado, justinho e redondo, elegância muito gabada na bateria pelos entendidos, passou por "crente", entre os soldados relaxados, por causa das perneiras paraná engraxadíssimas.

Tempo de recruta, de exercícios, meia-volta-volver, ordinário-marche, formar por dois, "que é um canhão?", "quais são os deveres do soldado?", "em quantas partes se divide um fuzil Mauser?" Bom tempo.

Passou a pronto. Cabo Maciel corneteiro, há oito anos seguros tocando na bateria silêncio e alvoradas, caiu da sua altiva mudez:

— Agora, sim, você é soldado com todos os fff e rrr.

Reclamava a bóia, a gororoba, todos os dias: "Temos garopeta outra vez?" Garopeta era cação ensopado, prato de resistência das sextas-feiras. Sargento Curió, encarregado do rancho, abria uma fileira de dentes alvíssimos: "Quá! Quá! Quá!" Os camaradas gozavam: "Este sujeito tem graça!" Começou a ficar desleixado, pegou xadrez por estar assobiando a *Dondoca* na formatura para a revista, abriu esbregue com o Louva-Deus, o Espinafre tomou as dores do outro, foi um salseiro no corpo da guarda, dormiu três noites na solitária.

— *IX* —

Conheceu Oscarina no mafuá de Botafogo, defronte à barraquinha das argolas.

— Duma morena assim é que eu precisava lá em casa...

Oscarina, rebolando, virou de lado, como quem não quer, mas dando corda:

— Sai, pato!...

Ele não dormiu — foi-lhe atrás. Oscarina olhou para dentro da barraquinha azul e pôs as mãos no peito feiticeiro:

— Ai! que lindo, meu Deus! — puxou a amiga: Veja aquele pançudo, Florinda!...

O pançudo era um cupido de celulóide, que estava na primeira prateleira da barraca, enfeitada com papel de seda.

Chegou-se:

— Quanto é, hem?

— Não é para vender não — respondeu o homem, jogando a cartola mais para o alto da cabeleira — é para prêmio. E explicou: Quem acertar dez bolas no buraco, naquele buraco do centro, está vendo?

— Ahnn!...

— Cada bola um tostão. Não quer?

— Eu quero! — e Jorge avançou, entornando níqueis no balcão.

Perdeu a conta das que jogou, mas trouxe o boneco:

— Está aqui.

Oscarina, que ficara torcendo, só pôde dizer:

— Você tem uma mira...

Comprou-lhe sortes, ela tirou um paliteiro de metal, pagou refrescos, convidou-a para o circo. Loura e velha, a mulher que se equilibrava no trapézio foi tratada por Oscarina de mocoronga. O mulato não se conteve e virando-se para o Jorge externou seu entusiasmo pelo japonês, mas como fossem poucos os aplausos para o seu predileto, afirmou categoricamente (e Oscarina olhava-o de lado) que a platéia era ignorante, não reconhecia os méritos, só gostava de pachouchadas, não sabia o que era um artista de fato. Os palhaços eram cinco. A pantomima que fechou o programa foi engraçada e mereceu palmas e elogios. E, quando acabou a função, Oscarina tinha tomado conta dele.

Pararam em frente ao palacete colonial, branco e sem luz. Ele se admirou:

— Bonita. É aqui que você trabalha?

— É. Quer entrar? — encostava-se, balançando-se, na grade de ferro, tentadora, provocando.

— E os patrões?

— Estão em Petrópolis, veraneando. Eu estou tomando conta da casa... — deu uma risadinha: Quer me ajudar?

Ficou receoso:

— Olhe lá, hem!...

Oscarina arrastou-o pelo braço:

— S'é bobo! Deixa de medo. Vem... — e virando-se para avisar: Mas pise no cimento com jeito para os vizinhos não ouvirem.

Preferia morrer a perder uma sequer daquelas noites delirantes. Sentia desvendado para ele o segredo da vida. Que de revelações, que de êxtases, peito contra peito, desejo contra desejo, a sua mocidade e a juventude dela. Com que olhos diferentes via as manhãs e as noites. Lua, grande lua — contemplava-a, na guarita ao dar serviço — como te acho diversa, sublime, poética, agora que eu conheço o amor! Saudoso: que estará fazendo ela a esta hora? — martirizava-se em interrogações, nas horas intermináveis do quartel.

Com que sofreguidão, à noite, se lançava nos braços mil vezes antevistos e desejados durante o dia:

— Oscarina!

— Como é aquele samba mesmo, Jorge? — e chupava os dedos lambuzados de cocada preta.

— Qual é?...

— Aquele de ontem, meu filho, da mulher ingrata.

— Ah! Já sei!...
Afinava a voz, pigarreando:
— Mas os vizinhos?
— Eles que se danem! — retrucou decidida.

Maria... Maria...
Aquela ingrata
que roubou minha alegria...

Oscarina fazia dele gato-sapato, um pamonha que estava:
— Você tem de sair à paisana, benzinho.
— Se alguém me vê e der parte eu tomo cadeia.
— Você tem de sair — batia o pé. — Vê lá se eu vou ao clube com um soldado!... — e fazia beicinho de desprezo.
— Bem, não precisa fazer escarcéu.
Dava, com dificuldade, o laço na gravata, que estava perdendo o jeito de ser paisano e saía, se fosse para o xadrez — melhor. Caía na dança. Oscarina suava acremente nos seus braços, reclamava quando ele a apertava demasiadamente:
— Assim, não, que me amarrota o vestido de georgete! Fica como se tivesse saído da boca dum cachorro...
— Eu dou outro.
— Só se for comprado com caroços de tangerina. Você é um pronto.
— Quá! Quá! Quá!
— E falando nisso, olhe, não pense que eu me esqueci daqueles cinco mil-réis que emprestei, não. Tem de me pagar, está ouvindo?
— Quá! Quá! Quá!
— Se tem! Que é que você pensa?
Ao voltarem, eram carinhos sem ter fim. Pagava a pena.
Como deram passeios no Silvestre, no Saco de São Francisco e em Paquetá (onde ela nunca tinha ido e achou enjoado), deixou por três domingos seguidos de ir em casa e recebeu um bilhete aflito da mãe, indagando se estava doente e informando que a Zita tinha ido saber notícias dele, já que não aparecia.

Ficou aborrecido, espichado na cama, machucando o papel nas mãos ásperas de tanto lixar cano de carabina. Quase deserto o dormitório. O Cobra D'água remexia a mala de courinho, cuja tampa, internamente, era completamente forrada de gravuras coloridas, na maioria mulheres nuas, que ele cortava das revistas. Peru, com uma escova de dentes, limpava as perneiras com meticulosos cuidados. O sol entrava pela janela e iluminava em cheio o Altamiro, entre as duas filas de camas, jogando boxe com a própria sombra. Moscas zumbiam.

Peru forçou o silêncio:

— Você tem muitos percevejos na sua cama, Jorge?

Não lhe deu resposta. Desamarrotou a carta e releu-a:

...o Henrique morreu anteontem de meningite. Eu não vi, mas Dona Alice disse que sofreu muito, coitado. O médico falou que foi uma felicidade para ele e nós achamos também. Seu pai, que anda passando pior do nervoso, fez uma grosseria, que me deixou envergonhada, não acompanhando o enterro.

Levantou-se e foi cavar uma licença com o tenente de dia, que estava no cassino, ouvindo vitrola.

A mãe, alvoroçada, beijou-o com calor; apalpava-lhe o corpo em busca duma lesão possível, que ela sabia muito arriscados os exercícios que faziam os soldados, sujeitos a quedas perigosas:

— Você se machucou, meu filho?

— Que tolice, minha mãe! É que estou estudando para o concurso de cabo — e escarrapachou-se no canapé da sala.

Dona Carlota respirou: uff! — mas repreendeu-o logo:

— E não podia escrever um bilhetinho que fosse?

— Onde é que eu ia tirar tempo? Não posso nem me coçar. A senhora não sabe o que é aquilo!... — Batia com a palma das mãos nas pernas: Só os demônios das granadas, mais de dez diferentes, se dividindo em não sei quantas peças e a gente ter de decorar os nomes todos... É de acabar com a paciência duma criatura!... A senhora nem calcula que paulificação é a teoria.

O pai estava seco, perguntava as coisas assim por alto, tinha compridos intervalos, raspando as unhas com o canivete, ou tirando fiapos das calças. Sentiu-se acanhado, fora de seu meio, como um estranho na sua casa; não compreendia os excessos da mãe em aprontar-lhe um "cafezinho bem gostoso" — com pão de ovo, daquele que você tanto gosta, sabe? — não retribuía às festas intermináveis do Pirulito, correndo, latindo, ora saltando-lhe no colo, barriga para cima, as pernas abertas, se oferecendo a carícias.

Não quis ficar para jantar, alegando que dera uma fugida e podia ser observado, o que era o diabo assim em véspera de exame, a mãe ficou triste — "ora, que pena!", gemeu num tom lastimável — e foi procurar a namorada a quem repetiu a mesma história.

— Para que você quer ser cabo? — interrogou-o.

Não perdeu a linha:

— É cá um plano que eu tenho. Mais tarde, faço exame para sargento e peço transferência para a Escola de Contadores. Saio de lá oficial intendente, com um ordenado que é uma mina! Não é boa a idéia?

A Zita agradava-lhe a farda. O pai era militar, o avô também o fora. Apoiou-o:

— É.

O interessante é que se meteu no concurso mesmo. Seus objetivos, porém, eram outros. Oscarina andava exigente, reclamava a falta de dinheiro, que vivia presa em casa como uma freira, não a levando a lugar nenhum, ela que gostava tanto de se divertir...

— Por que você pensa, Jorge, que não cansa aturar o dia inteiro Dona Flora? São visitas a não acabar mais. E o marido é o tipo do sujeito ranzinza, impertinente, que acha tudo ruim, malfeito. De noite, estava com a cabeça cheia.

— Mas se eu ganho só vinte e um mil-réis por mês, meu benzinho? — explicava abraçando-a e beijando-lhe a face com ternura.

— Não quero saber de nada, procure ganhar mais!... — e repelia-o com a cara trombuda.

Pôs o relógio no prego, um relógio-pulseira, presente da mãe no seu último aniversário, quis comprar um perfume

Coty, mas o dinheiro não dava, comprou um *Fanal,* o caixeiro fez um embrulho frajola, levou-o a Oscarina.

— Onde você arranjou dinheiro para isso, camundongo?

— Vendi o relógio. Não deu nada. Tanto que o perfume não é grande coisa, mas você não repare, que foi dado de coração.

Oscarina se comoveu:

— Que loucura! Eu não pedi nada. Não faça mais dessas!

— E o que você disse ontem?

— Foi brincadeira, meu bem. Então você não viu logo?...

Ficou sem palavras, olhando-a, sem compreendê-la. Ela se chegou, enlaçou-o, os braços pendurados no seu pescoço:

— Você tem um bruto xodó por mim, não negue... Se eu morresse...

— Não fale... — tapou-lhe a boca com um beijo profundíssimo.

Ela rendeu-se, caíram na cama, mordendo-se mutuamente, sob a luz fraca da lâmpada.

Fazia calor. Um cheiro a mofo dominava o quarto.

— X —

— Amazonas, capital, Manaus. Pará, capital, Belém.

No dia do exame, um grande calor pesava dentro da sala. O capitão cochilava na poltrona. Constipado, Sargento Guimarães Gordo (havia um outro magro) fungava, lançava olhares inquietos sobre os homens da turma que preparara, não fossem eles responder besteiras e deixá-lo exposto a alguma repreensão severa dos superiores. O Saracura tremia. Galinhas cacarejavam na casa do comandante.

— Três vezes seis, dezoito. Três vezes sete, vinte e um. Três vezes oito, vinte e quatro... — a voz se arrastava como se a estivessem puxando.

O 163 foi espinafrado porque respondeu cheio de vergonha, a cara prestes a estourar de sangue, que três vezes oito eram vinte e cinco... Houve risos incontidos. O capitão espertou. Remexia-se na poltrona, não achava cômodo, passava o lenço no pescoço, impaciente, doido para acabarem logo com aquilo, mas Tenente Américo, muito compenetrado, fazia perguntas sobre perguntas.

— O verde da nossa bandeira significa a riqueza das nossas matas sem fim...

— Muito bem! — aplaudiu Tenente Cristóvão, um magricela, batendo com o lápis, aprovativamente, na mesa. — E o amarelo?

— O nosso ouro!

Apresentaram-lhe o fuzil:

— Que peça é esta? — e apontavam.

— Alça de mira.

— E aquilo ali?

— Ranhura.

A aprovação foi lida de tarde, no boletim do dia. Seria cabo. Seria, vírgula, já se considerava cabo, tanto assim que, antes de promovido, passeou arrogante, com as duas divisas pretas num braço e a Oscarina no outro, pela Praia de Botafogo, fervendo de gente, no domingo de regatas.

A promoção não demorou a vir, entre parabéns de uns e profecias de outros: isto vai ficar um tesa que ninguém agüenta. Viva! Uma bebedeira notável com Oscarina, que entrou firme na *Hanseática,* e alugaram um quartinho no barracão de Seu Pinto bem no alto da Vila Rica, porque os patrões dela já tinham descido da serra e estavam ficando perigosos os encontros no seu quarto, ao fundo do jardim, em cima da garagem.

— Isto aqui é bonito, não? — fazia ele, se espreguiçando, a túnica desabotoada, as pernas abertas, sentado no caixote de querosene.

Ela também achava.

As avenidas eram colares luminosos na orla do mar. A aragem fazia tremer, brandamente, as folhas da goiabeira; altas, puras no céu, estrelas lucilavam.

Gargalhou a coruja na socada de bananeiras. Oscarina se arrepiou, persignando-se:

— T'esconjuro!

Jorge sentiu o coração pequeno. Um frio de morte gelou-lhe o sangue nas veias. A lua era branca.

— *XI* —

Treinou com afinco e foi para o primeiro quadro de futebol. Era ágil, veloz, tinha viradas perigosas e oportunas quando havia encrenca fechada na porta do gol. A torcida arranjou-lhe logo parecenças ilustres:

— Viradas dessas, entradas assim, cutucadas malucas no gol-quíper? Só o Gilabert, o Gilabert do Andaraí.

O Alísio, despeitado porque foi barrado, dizia que aquilo era pêlo, que o Jorge era um fundo, que mais dia menos dia, haviam de ver, iria enterrar o time.

Sentiu-se ofendido, teve vontade de dar uns bifes na cara do indecente, não deu porque Oscarina acalmou-o, aconselhando-o:

— Joga o desprezo nele, meu bem, e chuta com fé.

Daí para sempre virou Gilabert. Até o comandante fez a mudança:

— Cabo Gilabert, leve esta ordem no corpo da guarda. Depois — olhe! — depois passe pelo cassino e traga o mapa que eu esqueci lá. Deve estar no sofá.

Aliás, ele achava que Gilabert soava melhor. Gilabert... — murmurava repuxando a pele, no espelhinho de pendurar, fazendo a barba. Sentia-se outro, mais forte, mais homem. Deixou crescer as costeletas. Foi à macumba da Gávea, levado pelo Cumbá, que tinha o corpo ferrado, mandou tatuar o peito com tinta verde e amarela: a pomba voando levava um coração no bico, e dentro do coração a flecha furava o nome adorado — Oscarina.

— XII —

Um dia, dia de pagamento do soldo, bebeu demais e como era fraco de cabeça pôs-se a fazer disparates. Esmurrou a porta do barracão, entrou aos berros, fumando charuto *Palhaço,* enguiçou com a comida:

— Não como esta porcaria!

— Se quer melhor, vai fazer!

— Que é que você disse?!

— Isto mesmo! Se quer...

Não completou a frase. Jorge suspendeu o braço e deixou-o cair de rijo na boca da amante. Ela quis reagir:

— Você está louco, desgraçado!

Procurou qualquer objeto à mão para se defender, viu a vassoura atrás da porta e correu para apanhá-la mas ele perseguiu-a, alcançou-a e bateu-lhe sem dó, cegamente, atirou-a ao chão, pisou-a.

— Toma pelo desgraçado! Toma! Miserável!

Ameaçou-a ainda:

— Apanha a vassoura, apanha, para você ver o que acontece!...

Ela, porém, chorava, estirada no chão, descabelada, arfando, escondendo o rosto entre as mãos.

Depois da surra ficou pelo beiço:

— Gila...

Atirou-se a ele, devorou-lhe a cara com beijos ferozes.

— Deixa eu catar um piolhinho? — implorou, transbordante de candura. — Deixa, hem?

Ele, estirado na enxerga, já ressonava, babando-se. Oscarina, então, sentando-se na cabeceira, começou a suspirar e contemplava-o. Como estava ficando queimado do sol. Era de tantos exercícios. Coitado do meu bichinho! — coçava-o.

Deixou definitivamente de ver a Zita. Ora a Zita!... Uma bobagem, que a gente quando é criança faz muita besteira assim. Comparava-a com Oscarina, dum lado para o outro do cômodo, muito dengosa, os brincos de argolas caindo-lhe até os ombros, ajeitando a todo instante a gaforinha alta, sedosa, *à la garçonne,* arrumando as coisas, dando por falta de camisas dele, "aquela amarelinha com uns risquinhos" — quer ver que a Zeferina perdeu?!... — e punha o dedo na boca.

Havia um pouco de parcialidade, mas o certo é que a Zita saía perdendo.

Oscarina estacou:

— Estava para dizer uma coisa... — e fitou-o com uma cara muito sonsa — mas tenho medo do seu gênio.

— Que é? — interrogou-a, levantando, brusco, da cadeira.

— Está vendo? Por isso é que eu não queria dizer nada! Você fica logo exaltado, como se isso adiantasse alguma coisa... Virgem Santíssima!...

— Que é? — repetiu.

— Você promete que não fará nada?

Ficou indeciso, "não sei"...

— Prometo.

Não pôde com o olhar dela, um olhar mole, penetrante, como jamais vira igual, os olhos castanhos perfurando-lhe o coração como uma verruma.

— Prometo.

— Jura? Olha que se não.

Que mundo de infortúnios havia naquele "se não"... Que de desgraças passaram-lhe pela mente, ele abandonado, ela fugindo... Cerrou os olhos:

— Juro!

— Pois o 123 — você já viu só?! — aquele sujo sempre que você sai, vem aqui, com parte de conversar, me conta uma porção de histórias, diz que você é assim e assado, que eu abra o olhos, não seja boba, fica até meio ousado, dando para mim uns olhares assim um tanto aliás...

Soltou um suspiro fundíssimo de alívio, como se tivessem tirado de cima dele um peso que o esmagasse: só isso?!

Mas roncou:

— Deixe ele comigo...

E não foi promessa vã. O 123 apanhou dez dias de xadrez, ali no duro, porque Cabo Gilabert que em matéria de autoridade e disciplina, agora, não estava sopa não, deu, por causa da limpeza do rancho, uma parte dele que metia medo.

— *XIII* —

Coronel Gonçalves, pai da Zita, amargurava-se em conversas íntimas:

— Mulher é mesmo o diabo!... Pois não é que a Zitinha, afinal de contas, não é para gabar, uma menina de boa família, que eu eduquei com todo o carinho e sacrifício, prendada, instruída, que pode arranjar facilmente os melhores partidos, virou a cabeça, teimando em querer casar com o Jorge, um malandro, que assentou praça por preguiça de trabalhar?

— Eu sempre disse que aquele sujeitinho não prestava — acidulou tia Almira. Eu nunca me engano!... — E enérgica: Mas você também é um banana, meu irmão. Proíba-lhe de continuar com esta tolice. Então, você não tem autoridade? Acabe logo com esta criancice dela e vá se preocupar com negócios mais importantes. Ah, se fosse comigo!...

O coronel reformado adorava a filha. Morreria se lhe causasse um desgosto. Quando ficara viúvo, ela contava apenas dez anos. Pensou em alugar uma governante. Resoluta, não consentiu e tomara as rédeas do governo da casa. Era econômica, ativa, desembaraçada. Ciumenta, não quis que ele novamente se casasse. "Você é só meu", dizia e fazia violenta oposição, e não raras descortesias, às amigas da casa, que poderiam merecer o papel de nova consorte, que ele era bom, o major, e não lhe faltavam pretendentes. Sabia-a amorosa como ninguém, capaz dos maiores sacrifícios pelos entes que amava. Aquilo, pois, não era coisa que facilmente se extinguisse. Entregava tudo ao tempo. Procurava distraí-la, levando-a aos cinemas, às festas, aos teatros. Na matinê da *Tosca,* já estava na porta, de chapéu na cabeça, pronto, esperando, quando ela caíra-lhe nos braços soluçando:

— Papai, não quero ir. Não me obrigue, meu paizinho!... Sinto-me tão triste... Não...

Perdia noites de sono, fumando longos cigarros goianos na salinha de entrada que lhe servia de escritório, com a secretária e as estantes de acaju, planejava chamá-la e falar-lhe seriamente, vinha-lhe um pudor de parecer a ela injusto, pensava na sua viuvez. Ah, se Rosinha estivesse viva!...

— *XIV* —

Dona Carlota, crédula, mentia para as vizinhas:

— Está fazendo carreira. Quando completar o tempo preciso entra para a Escola de Contadores. Sai, então, oficial. É uma carreira muito bonita, não acha, Dona Zulmira?

A matrona não negava, mas achava muito perigosa com esta história de guerras e revoluções. Tinha uma parenta longe que perdera o filho no Sul, tenente, muito distinto, num tiroteio.

Dona Carlota procurou sorrir, vinha o leiteiro, com a bolsa a tiracolo, recolhendo as garrafas vazias, mudou de assunto, falando da falta de leite.

Seu Santos, na repartição, na nova escrivaninha, a que pertencera ao Seu Castro, enquanto limpava os óculos não trabalhava e ficava muito sério, pensando no fim que teria aquilo. Filho único... Como ele o queria a seu modo!... Como ele o amava!... Jorge... A repartição perdia para ele a realidade. Reconstruía a sua vida remota, anos atrás, na avenida esburacada do Pedregulho, quando trabalhava muito para ganhar uma insignificância na casa do Seu Freitas, um sovina que, afinal, perdera tudo e morrera miseravelmente, contavam, num hospital de alienados.

Que cachos tão louros tinha ele!... Esperava-o todas as tardes no portão, quando vinha esfalfado do trabalho, e rindo, batendo palmas, fazia-lhe queixas, mostrava-lhe a roupa nova, um pimpão de chitinha.

Tinha, então, um único terno. Aos domingos não saía para poupá-lo, mas nunca faltara em casa a água-de-colônia francesa e o sabonete *Reuter* para os banhos diários do menino.

Quando Jorginho teve tifo, era pequenininho, ficou como louco, passou quinze noites a fio acordado, velando-o, noites atrozes, em que as horas pareciam que não queriam passar. Fora Dr. Pontes, já muito velho, que o salvara. Importunava-o, quase desvairado:

— Que é que acha, doutor?

— Vai melhor, vai melhor. (Dr. Pontes tinha a voz arrastada e tremia.) O senhor é que precisa ter calma, repousar.

Nas manhãs feriadas, quando ficou bom, ia devagar com ele, todo em rendas, muito rosado, muito tagarela, apanhar sol na Quinta, que o médico aconselhara. Armavam-se piqueniques à sombra escura dos bambuais. Rapazes, em mangas de camisa, remavam no lago, e o lago era claro, como um espelho que refletisse o céu, mas se passava uma nuvem, as águas tornavam-se escuras, e ele ria porque Jorge não compreendia esse milagre.

Enchia-se de orgulho se os olhos dos passantes, e eram muitos, se voltavam para a beleza de seu filhinho. Jamais esquecera o acidente; a moça não falara alto, mas ele ouviu perfeitamente:

— Que criança linda! Veja — travou a companheira, que não reparara e continuara a andar, e apontou: Será aquele o pai?

Ele também duvidava.

Comprara-lhe, num aniversário, uma roupinha à marinheira, vermelha, a gola e os punhos brancos. Presenteara-o também com uma bengalinha. E ele ganhava pouco. Quantos pequenos sacrifícios! Mas que íntimas satisfações!

No entanto, os cavalinhos duravam horas, as piorras com música mal chegavam a funcionar, a bengalinha por um triz que não se quebrou no primeiro dia. Carlota condenava-o: "Dinheiro posto fora. Por que você não compra logo uma coisa boa, que tenha serventia?" Ele se sentia feliz. Como o tempo corre. Isso tudo parece que foi ontem! Como a gente muda! Onde os castelos arquitetados? Onde os sonhos tecidos? Carlota decaía a olhos vistos. Tudo desfeito, tudo ruído, tudo acabado!... Filho único...

O encarquilhado Peixoto, um tuberculoso crônico, soltava pigarros no fundo do salão. Dona Ester, datilógrafa, pendurava-se no telefone; o servente lia um jornal. Martins escrevia. Três horas. Através da janela, a Ilha Fiscal levantava-se das águas, como uma aparição mágica, sob o dia perfeito. E a vela deslizava no azul. Barcas apitavam. Vozes subiam no pátio.

— *XV* —

Coitada da Zita que chora noite e dia, magra, abatida, as pálpebras inchadas, um ar de dor infinita. As amigas tentam consolá-la:

— Um ingrato. Ora, você!... Esqueça...

— É muito bom de dizer...

As amigas calavam a boca, menos a Maria do Carmo, muito tolinha, que atirava piadas insossas e inoportunas: a paixonite cura-se com outra paixão. O pai é que não dava um pio — esperava. Titia era feroz:

— Vagabundo!

Zita não dizia nada. Recolhia-se ao quarto. Ele vem. Jorge é muito bonzinho!... Gosta dela. É por causa do serviço apertado. Sua fotografia continua na mesinha de cabeceira, ao pé da lâmpada de porcelana, num minúsculo porta-retratos. Mas quando vinha uma crise mais forte, atirava-se na cama, mordia o travesseiro e, inundada em lágrimas, pensava em ser freira, martirizava-se de jejuns.

— XVI —

Oscarina gastou seda estampada no baile das *Mimosas Pastorinhas*.

— É a última moda, Gila. Que tal? — e pavoneava-se defronte do espelho.

Um cheiro pesado de transpirações impregnava o salão, enfeitado de serpentinas, caindo do teto, como chuva de pontas multicores. Cada um dançava duma maneira, isto é, cada qual sacudia-se a seu modo, procurando acompanhar o compasso do pandeiro, o Pandeiro Infernal, faladíssimo, um mulato de bigodinho.

O de pernas tortas levantou-se:

— Vou ver se topo uma negra pra esta virada.

Enganchou-se na crioula gorda, que mais gorda ainda se fazia com o vestido de organdi, quase arrastando.

O português estava de branco na varanda, despertando invejas no sereno, se abanando, solando a mulata:

— Que calor!

A mulata era rebelde:

— Pra que veio cá?

Gilabert, que estava com o pé ainda dolorido da torção sofrida no último treino com o Confiança, muitíssimo rigoroso, plantou-se no bufê, mas Oscarina divertiu-se à grande e, longe dos olhos fiscalizadores dele, tirou uns fiapos com Seu Rogério, o pianista, tipo do invocante com aqueles óculos de tartaruga, a gravata larga, o cabelo crescido, jogado para trás, à poeta.

— XVII —

Cabo Gilabert progride. Desarranchou-se, recebendo mais por isto. Como Oscarina foi aumentada por Dona Flora, a patroa, que não se ajeita com outra arrumadeira, "umas lambuzonas incapazes de servirem um chá a uma visita de cerimônia", estão folgados. Canta, todo caído, de noite, no silêncio do barracão: "Oscarina, eu vou morrer..." acabando nuns gemidos canalhas, "uê, uê... minha nega".

— Estou caindo aos pedaços, meu anjo... — Esfrega a mão nos olhos: Que sono!... — E abrindo a boca saliente: Vamos dormir?

— Vamos lá pra fora. A noite está linda...

— Isto é valsa. Não vou no golpe.

Ele ri. Oscarina está quase nua. Das rendas da camisinha a carne pula, redonda e quente. Cai-lhe de beijos, ela se arrepia — ai!... ai!...

— *XVIII* —

Agora, os seus pileques são no quarto mesmo, junto com a cabrocha que emagreceu e se saiu uma esponja de primeira grandeza. Oscarina quando bebe fica exaltada, ele canta sambas, num berreiro:

A malandragem
Eu não posso deixááá...

Não deixa mesmo, que a vida para ele é vida de malandro. Ora se...

— *XIX* —

Seu Pinto, certa noite, mandou reclamar o barulho. Gilabert ficou enfezado:

— Espera um pouco que eu te estrago o capítulo, mondrongo sem vergonha!

Foi lá e deu-lhe uns encontros:

— Que é que você faz?

Oscarina pôs a boca no mundo. Chovia, mas, no escuro do céu, algumas estrelas brilhavam.

O incidente logo pela manhã transpirou no quartel. Talvez o 123, que morava mais acima no morro, no barracão de Seu Rodrigues, talvez o próprio Seu Pinto... Não se soube. Certo é que fizeram rápida devassa e o comandante mandou a escolta buscar Gilabert, que estava com uma licença de quatro dias.

Cabo Jeremias, que afinava o cavaquinho, quando viu sair os homens equipados, expectorou a frase da moda no quartel para a previsão de enrascadas:

— Batata vai assar!...

Ao que ajuntaram do fundo:

— Se vai!...

E se preparam para o coro do chorinho.

— *XX* —

Zita perdeu o noivo. Soldado não casa porque é proibido e Jorge, definitivamente Gilabert para todos os efeitos e amásio de Oscarina, que completara o tempo, engajou por mais dois anos.

— A vida é boa, não é, Oscarina? — consultara.

— Eu acho.

— Eu também. Nada de meias-voltas na vida. Ia era cavar para o concurso de sargento.

Gatos miavam, luxuriosos, e alguém os espantou jogando-lhes água fria.

— Sargento Gilabert! — e empertigava-se defronte de Oscarina, espichada na enxerga: Que tal?

— Ganha mais, hem?

— Se ganha! Dinheiro pra burro!

Oscarina teve uma pausa pensativa:

— Então há de comprar um vestido para mim todinho de veludo, não é, Gilabert?

— Dois até!

— Não diga...

Ensaiou uns passos requebrados de samba, firmou-se e saiu-se com esta:

— Mulher, você me consome!

Oscarina enxotou no ar, como importuna, qualquer coisa que não existia:

— Sai!...

Agora, eram cães que latiam, no alto do morro, para os lados da caixa-d'água.

NA
RUA DONA EMERENCIANA

Como era dia de pagamento no Tesouro, chegou em casa mais cedo que de costume, não eram ainda duas horas batidas no carcomido relógio de parede, cujas pancadas lentas soavam como um ranger de ferros velhos. O pintassilgo debicava a cuiazinha de alpiste. Descansou os embrulhos em cima da mesa nua, ocasionado um vôo precipitado de moscas, dobrou o jornal com cuidado, obedecendo às suas dobras naturais, e escovava o chapéu, preto e surrado, quando Dona Veva, pressentindo-o, perguntou da cozinha:

— Você recebeu, Jerome?

— Recebi, filha — respondeu pendurando o feltro no cabide de bambu japonês, que atulhava o canto da sala, por baixo duma tricromia, toscamente emoldurada, representando o interior dum submarino inglês em atividade na Grande Guerra.

— E trouxe tudo?

— Menos o pé-de-anjo da Juju porque me esqueci do número.

— Trinta-e-sete e de florinhas, vê lá se vai esquecer outra vez, seu cabeça de galo!... Olha que ela já faltou ontem e hoje à escola por não ter sapatos. A professora até mandou saber por uma colega se ela estava doente.

Não havia meio do garfo tomar brilho. A galinha cacarejou no terreirinho cimentado. Dona Veva se esforçava passando pó de tijolo e o diabinho da Fifina a bulir nos talheres.

— Tira a mão daí, menina, que você se corta!

Seu Jerome tossia, admirava o pintassilgo:

— Que é isso, seu marreco, então passarinho de papo cheio não canta?

Dona Veva virou-se:

— E a *Venosina*, achou?

— No *Gesteira*, não tinha, comprei no *Pacheco* mesmo: treze e quinhentos!

Dona Veva emudeceu com o preço: treze e quinhentos! Abriu a torneira toda para lavar a panela. Seu Jerome, pigarreando no fundo da alcova, trocava os sapatos pelos chinelos de corda com âncoras bordadas.

— Pode botar o café.

A Fifina saiu que nem foguete para ir buscar pão na padaria.

— É preciso pagar a Seu Salomão sem falta — continuou Dona Veva. — Ele já veio ontem, que era o dia marcado, eu pedi desculpas, que você não tinha recebido ainda, o pagamento andava atrasado — por causa dos feriados, expliquei — e marquei para passar hoje. Tinha me esquecido de avisar. Fiz mal?

— Não, Veva. Quanto é?

— Assim de cabeça não sei, meu filho, só fazendo as contas. Espere um pouquinho que eu já vou ver.

Enxugou as mãos ásperas no pano de pratos muito encardido, guardou a louça no bufê enfeitado com papel de seda verde e recortado, ele acavalou o pincenê azinhavrado no nariz flácido, e sentaram à mesa com o caderno das despesas, exatamente quando a Fifina voltava com o pão, suada e esbaforida.

Seu Azevedo, vizinho, um bom homem, de tardinha, palito nos dentes e paletó de pijama listrado, vinha com a Lúcia e a Ninita, as pequenas, gozar a fresca — digam lá o que disserem, não há como os subúrbios para uma boa fresca! — comentar a *Esquerda* com seu Jerome, dar dois dedos de prosa com a comadre, perguntar pela entrevadinha, sempre da mesma maneira: e como vai a titia? — porque era ela uma tia velhinha e paralítica, que Seu Jerome abrigava e prodigalizava mudos cuidados. Mas, se Seu Azevedo era bom, era irredutível a respeito dos políticos, "todos eles uns grandessíssimos piratas".

— Uma calamidade, meu compadre, é o que eu lhe digo, uma calamidade. Tudo perdido. Sim, perdido! Não tem que estranhar a expressão. Que é feito da dignidade? E da honestidade? Leia os jornais, veja, e me responda! Não há mais brio, não há mais nada! Uma caterva de ladrões! Só ladrões! E os políticos? Ah! Ah! Ah! Num país assim, só Lampião como presidente, Jerome. Lampião, ouviu? Lampião!

Parou vermelho e ofegante. Vinha do morro, salpicado de casebres e de roupas a secar, uma brisa ligeira que trazia a cega-rega duma última cigarra escondida no colorido vivo duma acácia imperial. Seu Jerome ria: êh! êh! êh! — risada pálida, quase forçada, curta, êh! êh! êh!, afinal a sua risada. A cigarra parou. Diminuiu a brisa. Dois pombos domésticos pousaram no telhado. As meninas estavam prestando atenção ao rapaz que passava, de lá para cá, no portão da avenida, fumando e lançando olhares furtivos.

— Para mim é o louro, com cara de alemão, que nos seguiu domingo até aqui, quando saímos da matinê — falou baixo a Ninita, disfarçando.

— Será? — fez a outra, duvidando. — Qual o quê. O outro tinha a cara chupada e não andava assim.

— É porque você não prestou atenção.

— Se papai desconfia...

— Boba.

O pai declamava a pouca vergonha na Recebedoria. Pois não sabia? Seu Jerome conhecia por alto a encrenca do Martins, o que fazia versos, desviando cerca de vinte contos. Não sabe da missa a metade, meu caro! Eu sei, eu sei. Relatou, tintim por tintim, o caso do desfalque, os nomes dos comprometidos, as intrigas, as costas-quentes dos protegidos, o cinismo dos capachos negando tudo.

Dona Veva chegou à janela, cabelo cortado, grisalho e maltratado, a falta de dentes abrindo-lhe no queixo curto uma ruga funda, impressionada, um tanto, com a demora de Judite que tinha ido à cidade levar uma encomenda de bordados. Só se *Madame* Franco não estava em casa e ela ficou esperando...

Mãos nos bolsos da calça, abrindo no meio da calçadinha as pernas esguias e ossudas, Seu Azevedo dirigiu-se a ela:

— E nós é que sofremos. Nós!...

Dona Veva se espantou: Nós? Ora essa! Por quê? — ia perguntar. Mas Seu Azevedo, fechando a cara, prosseguiu:

— É triste, muito triste... — e entrou a falar com abundância, com ódio, com rancor, do estado de coisas que os punha pequenos e pisados — pisados, sim, senhora, é a expressão: pisados! — pelos grandes, sem esperança, sem oportunidades, sem direito a um destino, meros fantoches nas mãos hílares dos ousados e favorecidos.

— Boa tarde, vizinhos!... — Dona Pequetita, casadinha de novo, cumprimentou, muito mesureira, apontando no alpendre, com sua caixa de costuras para, esperando o marido, aproveitar ainda mais um pouco a luz do sol que se ia.

Responderam, e Seu Azevedo resumiu com indiferença, talvez com bondade, acariciando o bigode:

— Este mundo é uma bola, Dona Veva. Este mundo é um circo...

Dona Veva, esfolando os cotovelos na janela, não ouviu bem (a voz do Seu Azevedo era rouca) e ficou, com vergonha de perguntar, sem saber se o mundo era um circo ou se era um círculo. Então, mudou de assunto, perguntando se Dona Maria andava melhor do reumatismo com a receita do espírita. Seu Azevedo tinha aquele defeito — gostava de falar em doenças. Pegou no reumatismo da mulher — até agora nada de melhoras, comadre, enfim... — e não parou mais.

— Sabe duma coisa? — arregalou os olhos de tal jeito que a comadre foi obrigada a dizer alto que não. — O Miranda, aquele magro, que vinha sempre comigo no bonde, não se lembra?

— Magro?

— Sim, um que não largava o sobretudo, pai da Tudinha, uma menina muito acanhada, que vinha, às vezes, brincar com a Ninita.

— Ah!

— Pois é. Não dura muito o pobre, é o que lhe digo. Tome nota! Também... — balançava a cabeça tristíssimo. — E o Souza, conhece? Coitado!... Já não anda mais. Nem respira; dá uns arrancos, hum, hum, hum — e imitava — que corta o coração da gente. A arteriosclerose está adiantadíssima. Foi o médico mesmo que me disse, muito em particular, está visto, me fiz de surpreso — oh! — mas bem que eu estava vendo. Passa maus pedaços a filha, e ele só tem essa filha, que a mulher morreu na espanhola, ótima criatura, e que doceira de mão cheia! Sozinha, imagine, e para tudo. É uma abnegada! Nem calcula o carinho com que ela trata o pai. Sensibiliza.

Limpinhos, penteadinhos, os dois meninos da penúltima casa, uma gente do Paraná, saíram para brincar na porta.

— Cuidado, hem? E nada de correrias — aconselhou a mãe, pondo severidade na voz melosa.

Seu Azevedo deu um passo para o lado, desfranziu os beiços:

— Mas para mim é um caso perdido, infelizmente. Uma bela alma, o Souza!... E olhe que é muito mais moço do que eu. Em 85... Em 85, não, minto. Espere... — batia com o indicador na boca fechada como em sinal de silêncio — em 86, quando eu estava morando com o Fagundes, o José Carlos Fagundes, você se lembra dele, ó Jerome?

O risinho esboçado pelo Jerome era maldoso: Se me lembro! Patife...

Dona Veva ouvia. Padecia. Uma falta de ar, uma opressão no peito, como um peso que cada vez fosse pesando mais, uma falta de vontade, o corpo dolorido ao se levantar e as veias inchando dia a dia.

Venosina era um sacrifício, um vidrinho com trinta pílulas, ela já contara, treze e quinhentos para quem quiser e que se há de fazer se era preciso? Tomava-a só na hora do jantar para durar mais tempo. Era um recurso, além das promessas fervorosas a N.S.ª do Perpétuo Socorro, pois tinh cinco crianças para criar. De vez em quando, ficava pensandc numa sorte grande providencial, comprava bilhetes na mão do Seu Pascoal, que já vendera muitas, saíam brancos, se enchia de fundas melancolias. Por que não tirava? perguntava a si própria, suspirando, batendo roupa no tanque, que o Alfredo com essa história de futebol sujava calças que era um horror. Que terei eu feito a Deus para que ele não me ajude? pensava. Ah, se tivesse tirado!... Um final tão bonito, jacaré, que é o pai dos pobres... Não diria a ninguém, só a Jerome, poria tudo na Caixa Econômica rendendo, nem um tostão para ela; mas gozaria como se tivesse gasto todo — estaria garantido o futuro dos filhos. Já não lhe sentiriam tanto a falta se morresse, pois assim o Jerome teria com que educá-los, pondo-os internos num bom colégio. Mas nada. Fazia planos menores, quando vinha o namorado da Juditinha, muito simples, muito bonzinho e impagável, conversar, contar casos do escritório, que matavam a namorada de tanto riso. Rogava a Deus, envolvendo-os num mesmo olhar, que ajudasse a ele no seu emprego, para poder ganhar mais e se casar logo. Não fazia mal que fossem tão crianças; ele era muito amoroso e muito esforçado, ela tinha bastante juízo, sem luxos, muito caseira.

E Juditinha tardando.

Sentia-se cheia de sustos. Teria acontecido alguma coisa? Esticava o pescoço na esperança de vê-la dobrar o portão. Fora com o vestido vermelho de bolinhas. É agora. Nada. Só se *Madame* Franco...

Seu Azevedo falava ainda, visado para Seu Jerome, dos sofrimentos do Melo, o bexigoso, proprietário na zona, que consultara todas as sumidades sem que nenhuma lhe tivesse dado volta.

A trepadeira boa-noite que se pendurava no muro, meio derrubado, abria a medo as brancas flores singelas. Já passara o "profeta", esquelético e diligente, acendendo os lampiões a gás, luz amortecida, amarela e silvante, onde mariposas pardas vinham morrer. Ali e acolá, no capinzal, que durante o dia era batido pelos mata-mosquitos à procura de focos, brilhavam, por um instante, luzes azuis de vaga-lumes e a Maria Heloísa, a filha do dentista Guimarães, no piano, começava a tocar a valsa do *Pagão* para o noivo ouvir. Surgiu a lua.

Vozes abafadas se misturavam, o cachorro late, raivoso, encarcerado no chuveiro, cintila no céu alto uma única estrela e faz frio; vai pouco além de cinco horas e escurece, quase noite tão cedo, que o inverno é chegado. Resmungando, o cocheiro, encartolado, a sobrecasaca coberta de nódoas, fustigou os animais e o enterro partiu, entre o sussurro dos curiosos que se apinhavam no portão da vila, dois automóveis atrás acompanhando.

Dona Veva não teve lágrimas para chorar. Parece incrível, meu Deus! — e atirou-se à toa na cadeira austríaca, que rangeu, ficou como anestesiada na sala estreita, de janelas cerradas, cheirando a flores e a cera, pensando no Seu Jerome, que se fora para sempre, tão bom, tão seu amigo, nos seus últimos cuidados, a voz quase imperceptível, se extinguindo: Veva, cuida do montepio! — o montepio que deixara, cento e vinte e cinco mil-réis, que o senhorio levaria todo, e ainda faltaria.

Quem poderia ajudá-la agora? A Aninhas, sua irmã, casada com o Dr. Graça, que estava tão bem? A Porcina, que ficara viúva e sem filhos com a padaria que lhe rendia um dinheirão? Nem ao enterro tinham vindo. Nem umas simples flores mandaram para o cunhado que tanto lhes servira. Ah, meu Jerome!... Lá estava ele, a sorrir em cima do porta-bibelôs, entre um anjinho de asa quebrada e um prato com cartões-postais se desbotando. Lá estava ele a sorrir, no retrato, junto dela — que felizes! — no dia do casamento. Ele em pé, de preto, o bigode retorcido, a mão sobre o ombro dela, sentada, um grande buquê contra o peito, a saia branca, comprida, a lhe cobrir pudicamente os pés.

Seu Azevedo que dera, infatigável, as providências para o enterro — o homenzinho da Santa Casa tinha sido um grosseirão — e que mandara uma coroa de biscuí em nome das meninas e da mulher de cama, coitada, com o choque, veio consolá-la, a voz mais rouca, comovido:

— Que a vida, a senhora sabe, Dona Veva, era aquilo mesmo. A questão era não fraquejar, ter coragem, ser forte. E sempre não o fora? Ah, Dona Veva, é doloroso, é muitíssimo doloroso, Dona Veva, é terrível, eu sinto, pode crer — e batia no peito cavernoso palmadas surdas — mas é preciso ter coragem! A vida não se acaba pela morte dum soldado. A vida, não, a guerra. Guerra, luta, vida... — Seu Azevedo se atrapalhou.

A paralítica, na cadeira de rodas, plantada no meio da cozinha (estava se vendo da sala), sacudida pelos soluços como um molambo esquecido, pensava com heroísmo na tristeza do asilo, tendo um bolo de crianças, choramingando talvez sem saber por quê, pendurado nas suas saias pretas, castas, que escondiam umas pobres pernas sem vida.

A mosca impertinente traçou dois volteios no ar e Seu Azevedo continuou:

— Ele se foi, é o nosso destino, comadre, uma vontade suprema, a que nada podemos opor, e como era bom com Deus está. Mas não a deixou sozinha, pense bem. E os filhinhos? E...

Dona Veva espantou os olhos gastos para Seu Azevedo, que emudeceu, e, quando pensou nos seus cinco filhos, aí é que ela viu mesmo que estava sozinha e de mãos para o céu começou a gritar.

A MUDANÇA

A mudança foi repentina! As estrelas desapareceram bruscamente da noite. Saindo não sei donde, nuvens, cada vez mais negras, amontoavam-se num canto e acabaram por tomar todo o céu. Negror. Então, veio o vento e sacudiu o ar estático, abafado, vergou as árvores, bateu janelas na vizinhança, trouxe gritos distantes para meus ouvidos inquietos. Levantou-se a poeira nas ruas, rodopiou, subiu, entrou pelas persianas sujando os móveis.

Mamãe, aflita, que estava na hora da poção, chegou como uma sombra, cerrou as persianas, mas o vento era mais sutil e insinuando-se por frestas despercebidas balançava da mesma forma as bambinelas.

— As bambinelas estão dizendo adeus!

Nem sei como me acudiu logo o pensamento estranho: As bambinelas estão me dizendo adeus! Ou estarão me chamando? Sim, é possível que estejam. Mas para onde? Sinto-me fraco, uma dormência espetante como milhões de alfinetes paralisa as minhas pernas. E elas continuam a acenar: Vem!

Embala-me, monótono, o tique-taque do relógio na sala onde minha irmã pedia a São Bento para cortar a perna do vento, que eu podia piorar.

E a febre na mesma. Trinta e sete e seis. E a tosse. O peito doendo sempre, sensação angustiosa de asfixia

— o teto caindo sobre mim, me oprimindo, me esmagando. Poderia fugir, mas a dormência, que me prendia as pernas, invadiu-me o corpo agora e me prostra incapaz.

— Está melhor?

Mamãe dobrou-se sobre a minha face num beijo longo, afagou a minha barba crescida. Seus cabelos grisalhos roçaram-me a testa seca.

— Estou. Quero dormir.

Saiu na ponta dos pés, depois de compor o lençol que me cobria, ficou na sala, folheando o jornal, fingindo que lia. Mina correu para o quarto dos fundos, o feio, com papel vermelho, manchado de umidade, se esbeiçando pelos cantos, e a janela estreita que dava para a área onde a pitangueira definhava. Chorar? O vento chorava, também, no jardim despetalado, nos telhados, nas árvores sacudidas na rua. Chiii — eram as folhas se arrastando, secas, na calçada. Pedir? Teresinha de Jesus, no oratório branco da maninha, não fazia mais milagres. Estava surda a todas as orações. Surda? Não. Era o vento, o vento maldoso, com certeza, que levava todas as palavras boas para as espalhar à toa pelas ruas sem ninguém.

A febre se elevou um pouco mais, o que não é natural. Talvez seja impressão, apenas. Se pusesse o termômetro, lá viria o seu refrão: trinta e sete e seis. Mas para que aquele abajur colorido, azul, rosa, e os bichos bordados em preto? Que inutilidade! Nem era bonito ao menos... Mas se ele crescesse como os gatos, as árvores e as crianças? Ficasse grande, imenso, e cobrisse todo o mundo? E fosse endurecendo, virasse bronze de tão duro e cantasse como um sino? Cantou! Ele cantou! Não. Foi o relógio.

— Que horas são?

— Sete e meia. Está sentindo alguma coisa, meu filho?

— Nada.

Nada mesmo. Que tranqüilidade senti me invadir, que silêncio pareceu se fazer. Até o mosquito sossegou.

— Tão cedo...

Tomara o leite às cinco e meia. Não o sentia mais no estômago e só passaram duas horas? Não. Aquele relógio estava ficando velho, caduco, não regulava mais. Forçosamente que era mais tarde. Ninguém passa na rua...

Calma imensa. Nem o vento lá fora assobiava mais. Sete e meia. E um silêncio na casa.

Quantos anos tinha o relógio? Quando era menino, já existia, no mesmo lugar, por cima do aparador, e já ia para os vinte e dois anos, uma criança ainda, diziam, e no entanto sentia-me velho de tanto sofrer.

Pensei no tempo do futebol na rua — o lampião era o gol, a meninada convencidíssima. O Julinho ostentava chuteiras *Atlas,* invejadíssimas pelas travas em rodelas; o Zé Maria agora era soldado e uma vez viera visitá-lo: estava achando a vida difícil, tinha medo de ficar desocupado, sem casa, sem dinheiro, já pensava em engajar. O Russo, filho do quitandeiro, tinha morrido do peito. Os outros se perderam por este mundo. Ah! e a escola pública!... Dona Maria José, a professora que casara; e aquela menina!... Loura! Loura! Tão loura!... Lurdes... Perdera o seu retratinho, perdera-a também... O pai dela bebia, vivia cambaleando nas esquinas do bairro, batia-lhe. Era dócil, tristonha, trazia-lhe flores, dizia-lhe que ele era o seu amor, tinha a boca carnuda e cor de sangue, um contraste flagrante com o rosto pálido. Depois, os exames na Faculdade, o velho professor condescendente, o porteiro filante e os cadáveres.

Às oito horas em ponto, senti-me molhado, depois dum rápido acesso de tosse: era sangue. Sangue, mais sangue. Morri. Na casa toda, continuava o silêncio.

Na escrivaninha aberta, folhearam as minhas páginas. Poeta? Ora!... Leram surpreendidos. Elogios. As velas queimando em volta de mim, as flores cobriam o meu peito, sem pressão, descarnado, mas eu não sentia os perfumes.

— Quem diria, hem?

— É mesmo.

— Tão bom!... Tão simples!...

Contavam fatos:

— A última vez que o vi...

— "A noite é assim: silenciosa, fria." Bonito este poema! — Cercaram o Souza que lia, o papel suspenso enfaticamente das mãos gordas. "Um cheiro de suspeita na aragem traiçoeira, onde a trepadeira, branca, se reclina." Lindo, sim!

Eurico aprovava só com a cabeça.

— "Os pirilampos todos se sumiram."

Antônio não compreendia nada. Os pirilampos se sumiram? Todos? Que diabo!

— "Só ficaram os grilos no jardim, cantando para as estrelas indiferentes."

— Admirável! Admirável!

Eu os lia por dentro devassando-lhes todos os pensamentos; cada rosto era para mim uma janela aberta; bastava me debruçar um pouco e toda a casa se me mostrava.

Luís, sempre desconfiara dele, namorava o meu Larousse na velha estante desarrumada, mas haveria de passar bastante lisol nos volumes porque aquilo pegava como visgo.

Minha irmã inexperiente, minha mãe imprestável, atirada na cama numa crise violenta de nervos, que longe de excitá-la, prostrara-a inerte, sem ação, como morta, foi Seu Cardoso — aborrecido, mas que se há de fazer? — que tratou de tudo, com gorjetas somítegas para o velhote da Santa Casa.

A primeira pá de cal foi do Oliveira — tão engraçado o Oliveira! — após a despedida de amigo entre caras enfastiadas. Queixava-se amargamente, com os seus botões, daquela vasta estopada — as lágrimas, o enterro atrasadíssimo, ele sem jantar até àquela hora; imaginava já uma tuberculose também, proveniente duma gripe seriíssima apanhada naquela maldita tarde, gélida, úmida, terrível. A última foi a do Mauro, que sempre se distraíra admirando as coroas, lendo fitas: "Saudades da Dondoca" (a prima loura que morava no Méier), "Seus colegas do 4.º ano", a do Seu Ramalho da farmácia, enorme, de dálias, humilhando todas as outras, mesmo aquela pequena, tão simples: "Tua mãe e tua irmã".

Quando tudo acabou, a cova cheia, os passos em cima da terra — bem se ouviam — afastando, senti-me livre, só, aliviado. Enfim! Uma ânsia, porém, sem limites se apossou de mim, agora que eu via tudo, pois vi a minha casinha humilde na Rua Dona Constança, deserta de todos os meus sofrimentos. Vi e quis voltar para lá, para o meu desespero, para a minha dor, a febre, o peito aflito, a asfixia e esperar a hora da poção — esperança, esperança! — que minha mãe vinha dar, os olhos úmidos.

FELICIDADE

Olhou para o céu, certificando-se de que não ia chover.

— Passa já pra dentro, Jaú. Olha a carrocinha!

Jaú, costelas à mostra e rabinho impertinente, continuou impassível a se espichar ao sol, num desrespeito sem nome à sua dona e numa ignorância santa das perseguições municipais.

Clarete também teve o bom-senso de não insistir, o que aliás era uma das suas mais evidentes qualidades. Carregou mais uma vez a boina escarlate sobre o olhar cinemático, bateu a porta com força — té logo, mamãe! — e desceu apressada, sob um sol de rachar pedras, a extensa ladeira para apanhar o bonde, pois tinha de estar às oito e meia, sob pena de repreensão, na estação Sul da Cia. Telefônica.

No bonde, afinal, tirou da bolsa o reloginho-pulseira e deu-lhe corda. Era um bom relógio aquele. Também, era *Longines* e no rádio do vizinho, que se mudara, um sujeito mal-encarado, ouvira sempre dizer que era o relógio mais afamado do mundo inteiro. Fora presente de Seu Rosas quando ela morava na avenida. E, à falta de outra coisa, foi remexendo o seu passado pequenino com a lembrança do Seu Rosas.

Rosas. Que nome! Não lhe entrava na cabeça que uma pessoa pudesse se chamar Rosas. Nem Rosas, nem Flores. Que esquisitice, já se viu?

Arregalou os olhos fotogênicos.

— Que amor!

Uma senhora ocupava o banco da frente, com um chapéu, rico, de feltro, enterrado até às sobrancelhas.

O solavanco da curva não a deixou ter inveja. Calculou o preço, assim por alto: cento e poucos mil-réis, no mínimo. Quase seu ordenado. Quase... E sem querer voltou a Seu Rosas.

Fora ele quem lhe dera aquele reloginho. A mãe torcera o nariz, nada, porém, dissera. Devia contudo ter pensado dela coisas bem feias. Clarete sorriu. O rapaz da ponta, com o *Rio Esportivo* aberto nas mãos e os olhos pregados nela, sorriu também. Clarete arrumou-lhe em cima um olhar que queria dizer: idiota! e o rapaz zureta afundou os óculos de tartaruga na entrevista do beque carioca sobre o jogo contra os paulistas.

Uma noite Seu Rosas não veio conversar com ela. Noutra noite também. E mais outra, atrás de outras, uma semana, duas, um mês. Ela, enquanto ajudava a mãe no arranjo da casa, pensava: por que será que ele não vem? Olha para o São José, que era uma das devoções da mãe, e ele não respondia. Na folhinha de parede, boas-festas do açougue do Seu Gonçalves, um cromo complicado, borboletas esvoaçavam sobre flores que pareciam orquídeas. Já tinha lido um soneto no *Jornal das Moças* em que o poeta chamava as borboletas de levianas. Seu Rosas era borboleta também. Borboleta?! Não. Ora, que bobagem! Seu Rosas era Seu Rosas mesmo. Ria. Batiam sete horas no relógio da vizinha, que era muito intrigante. Ela se aprontava e corria para o portão na noite mal iluminada. Seu Rosas nada. Aborreceu-se:

— Aquele mocorongo...

Ficava pensativa, perguntando a si mesma por que razão Seu Rosas levara aquele sumiço?

Acabou por se desesperar:

— Pois que se dane o tal de Seu Rosas! Não aparece, não dá notícias, talvez nem se lembre mais de mim, e eu aqui feito uma boba só pensando nele! Que leve o diabo! Morreu, pronto, está acabado! Não se fala mais nisso.

Aquela saída para o desaparecimento de Seu Rosas entrou-lhe na cabeça como um sol.

— É mesmo. Devia ter morrido. Senão...

Engraçado é que não sentia tristeza alguma, achava até muito natural que ele morresse. Já estava velho... Tinha uns cabelos brancos aqui e ali, rugas sulcando-lhe a face. Ora, Seu Rosas!... Recordava-se perfeitamente do dia em que lhe dera o reloginho. Viera de azul-marinho, uma roupa nova, e muito bem barbeado.

— Bom dia, Clarete.

Tinha a voz muito meiga:

— Felicidade, muitas felicidades — ouviu? — pelo dia dos seus anos. Você não repare a pequena lembrança que...

Praia de Botafogo. Meu Deus! Pendurou-se nervosamente na campainha, saltou e atravessou a rua sob o olhar perseguidor da rapaziada que ia no bonde.

Houve tempo em que Clarete se chamava simplesmente Clara. Tinha, então, os cabelos compridos, pestanas sem rímel, sobrancelhas cerradas, uma magreza de menina que ajuda a mãe na vida difícil e um desejo indisfarçável de acabar com as sardas que lhe pintalgavam as faces e punham no narizinho arrebitado uma graça brejeira.

Trabalhava numa fábrica de caixas de papelão e vinha para a casa às quatro e meia, quando não havia serão, doidinha de fome e recendendo a cola de peixe.

Quando ela passava, os meninos buliam na certa:

— Ovo de tico-tico! Ovo de tico-tico!

Ela arredondava-lhes um palavrãozinho que aprendera na fábrica com a Santinha e continuava a subir a ladeira comprida, rebolando, provocante. Os meninos riam, chupavam o nome feio como se fosse um caramelo e trocavam reminiscências:

— Vocês se lembram quando ela usava aquele vestido roxinho? — Quando o vento deu eu vi as pernas dela até aqui — e mostrava.

Verdade é que eles a chamavam de ovo de tico-tico, menos pelas sardas do que por despeito. Ela não dava confiança a nenhum — vê lá!... — e no coração deles andava uma loucura por Clarete. Ai! se ela quisesse!... — suspiravam todos intimamente. Ela, porém, não queria, estava mais que visto. E eles ficavam se regalando amoravelmente com o palavrãozinho jogado assim num desprezo superior, pela boca minúscula que todas as noites aparecia, tentadoramente se ofertando, nos seus sonhos juvenis.

Aos domingos, quando não tinha serviço extraordinário, ia almoçar no palacete da madrinha, *Madame* Oliveira, muito rica, mas que, muito somítega, a não ser conselhos, só lhe dava uns mil-réis, muito chorados, para ela se divertir. Sua diversão era o cinema, a matinê barulhenta do Guanabara. Ria moderadamente, nas fitas cômicas, chorava sentidamente pelas desgraças das estrelas e entusiasmava-se com as peripécias das fitas em série, aos gritos de "entra, mocinho!" fartamente soltados, pela meninada, amante de tiros, murros e bandidos.

Depois, com o uso meticuloso do *Bylbet-Cream,* de que lera anúncios coloridos em revistas emprestadas, conseguiu ver-se livre da metade justa das sardas, o que a tornou bem mais interessante, pois as poucas que lhe ficaram punham-lhe no rosto uma vontade garota de beijos repetidos e complicados. Foi quando começou a exigir que a chamassem de Clarinha. Pintava os lábios com displicência, sonhava ser artista, imaginando uma vida gostosíssima em Hollywood, junto com a Coleen Moore, a Billie Dove e o Douglas. Apaixonou-se pelo Eugene O'Brien, saiu da fábrica, foi ser telefonista, tirou o segundo lugar no concurso de beleza do bairro. Daí, irremediavelmente, Clarete.

Estudava poses até de esperar o bonde, virando e revirando a sombrinha. Cabelo sempre cortado pela última moda. Duas horas para o arranjo irrepreensível da toalete; não dava, do que ganhava, um tostão à mãe; gastava tudo em vestidos colantes que os seios pequeninos e duros furavam agressivamente, em chapéus e meias de seda, através das quais desnudavam-se as suas pernas, irrequietas e sensuais.

O Cazuza apareceu-lhe como aparecem todas as coisas desse mundo. A intimidade foi rápida, que ele se soube fazer insinuante. Passeavam pela Praia de Botafogo quando ela saía do trabalho e vinham para casa juntos. Dançavam, apertadinhos, no Lido, apinhado de gente suarenta e divertida, pelas noites de verão.

Clarete, perdida pelos diminutivos, chamava-o de Cazuzinha, e ele, perdido por Clarete, pouco se incomodava que o chamassem assim ou assado.

Na estação telefônica, *Mister Shaw,* que era o subdiretor e não falava com ninguém, perguntou secamente à telefonista-chefe quem era aquela. Dona Zulmira queimou-se com a secura, mas respondeu:

— É a Clarete.

Mister Shaw nem agradeceu. Caiu na sua meditação habitual, aliás profundíssima meditação como depois se verá, e, afundando-se na poltrona, sufocou o gabinete da subdiretoria com a fumaça *navycut* do seu cachimbo de nogueira.

Todas as tardes *Mister Shaw,* no seu caríssimo *Packard,* acompanhava o bonde em que ia Clarete com o Cazuza. Ela, às vezes, reparava e invocava com o chofer, que era japonês.

Duas vezes por semana Clarete trabalhava até às dez horas da noite. Cazuza a esperava encostado num poste, assobiando a *Malandrinha* numa atitude cafajeste.

— Eu tenho um medo, meu bem, de subir esta ladeira no escuro... — dizia ela brincando.

Cazuzinha, que era meio tapado, fazia a voz adocicada para repreendê-la:

— Ora, neguinha, que besteira!... Então eu não estou aqui?...

— Os seus beijos me dão coragem, sabe? — ria.

Iam subindo a escuridão.

Quando a deixava, acendia um cigarro para se acalmar. Limpava com o lenço de seda, surrupiado da irmã, a boca toda avermelhada pelo *baton* dela, *Coty,* tipo baunilha, e vinha preparando vantagens para contar na roda do *Café Glória do Sul.* Ao chegar cá embaixo o *Packard* de *Mister Shaw,* que o esperava pacientemente, arrancava silencioso. Cazuza não via e ia a pé para o café, que era perto, onde a turma o esperava, tomar a sua média para refortalecer, dizia. Mostrava rindo o lenço todo sujo e para os camaradas lubricamente atentos afirmava que Clarete...

Clarete, nua defronte do espelho, dançava o *charleston,* mas dava-lhe uma tristeza repentina, e, se afundando nos lençóis, tinha algumas crises de choro. No outro dia acordava de olheiras e queixava-se à mãe que naquela noite não pudera dormir com uma dor de dentes cachorra. Dona Carolina olhava-a fixamente, suspirava e não dizia nada.

Uma noite — estava chovendo e vinham abraçados sob o único guarda-chuva — o Cazuzinha, corajoso, segredou-lhe qualquer proposta ao ouvido. Clarete pulou dos braços dele.

— Você é besta, Cazuzinha? Você pensa que eu sou alguma idiota?

Ele parece que pensava.

No outro dia foi chamada ao gabinete do subdiretor.

— Que diabo quererá de mim este bife?... Enfim...

Consultou o espelhinho. Ajeitou o cabelo e foi. Os tapetes caros silenciaram o tique-taque datilográfico dos seus passinhos miúdos.

Mister Shaw foi britanicamente ao assunto. Falou-lhe claramente simplificando o mais que era possível as suas idéias. Que era rico — ela já sabia — e gostava dela. Aí ela ficou surpreendida. Gostava muito. Muito? *Yes.* Queria casar com ela. Amparou-se na secretária: comigo? Ele continuou: mas que era preciso ter juízo — e batia, compassadamente, palmadinhas sonoras na testa. Era preciso que ela deixasse de assanhamentos. *Mister Shaw,* que vinte anos de Brasil não fizeram falar decentemente o português, não dizia assanhamento, dizia outra coisa qualquer que não se parecia absolutamente. Mas Clarete compreendeu tudo às mil maravilhas. Pesou ali mesmo os inconvenientes e as conveniências — *Madame Shaw,* dezoito anos, uma casa alinhadíssima, um passeiozinho pelos Estados Unidos...

Chegou em casa e pôs as mãos na cintura:

— Sabe duma coisa?

Dona Carolina não sabia de nada.

— Vou me casar!

Dona Carolina não desmaiou porque era mulher forte e já acostumada a todas as loucuras da filha e da vida.

Casou-se um mês depois, numa igreja protestante, sob uma chuva de arroz. *Mister Shaw* pediu oito dias de licença, mas, como era comodista, não saiu do Rio. Foi fazer a lua-de-mel num apartamento do Glória com diária de duzentos mil-réis. Clarete, que fez um mundo de extraordinários, como o *mister* pôde ver ao pagar a conta, proporcionou-lhe, todavia, agradáveis momentos. Pelo menos foi o que disse em inglês a *Mister Brayller,* que era colega, na subdiretoria, bem entendido. Clarete, com a manicura francesa pendurada nos seus dedos a quinze mil-réis por hora, jurou que nunca haveria de traí-lo, a não ser que o Eugene O'Brien... Mas isso era outra história...

Rasgou os retratinhos do Cazuza que encontrou no meio de velhas bugigangas, freqüenta quase diariamente o *Country Club,* onde joga tênis razoavelmente mal, dança muito, fuma cigarros *Camel,* finge que lê o *Times* — seção para damas — e recebe, nas bochechas do marido, os galanteios dum amigo dele, um outro *mister,* mais louro, mais moço e mais imbecil.

Visita a mãe, de quando em quando, levando frutas, conversando sobre a sorte infeliz das ex-vizinhas — uma casada com o Pedro da padaria — gastando muitos *yess* pelos quais está mais perdida do que pelos diminutivos, e acha, agora, a cara do chofer japonês muito menos invocante.

STELA
ME ABRIU A PORTA

Havia alguns meses que nós nos conhecíamos e jamais o tempo passou tão rápido para mim. Ela era ajudante de costureira no ateliê modestíssimo de Madame Graça, velha amiga de minha mãe. Meu irmão Alfredo, que morreu aos vinte anos, estupidamente, duma pneumonia dupla, era um rapazinho importante: não gostava de fazer recados, de carregar embrulhos, de comprar coisas para casa na cidade. Mamãe respeitava-lhe a vaidade. E eu fui buscar um vestido que ela mandara reformar — a seda estava perfeita, valia a pena. Quem me atendeu foi Stela. Madame Graça havia saído e ela não sabia do vestido. Madame Graça não lhe prevenira nada. Mas não poderia esperar? — perguntou. Madame fora ali pertinho, não demoraria. Eu disse que esperaria. Ela me ofereceu uma cadeira, voltou para o seu trabalho e pusemo-nos a conversar.

Stela era espigada, dum moreno fechado, muito fina de corpo. Tinha as pernas e os braços muito longos e uma voz ligeiramente rouca. Falava com desembaraço, mas escolhendo um pouco os termos, não raro pronunciando-os erradamente.

— Está aqui há pouco tempo, não é? — perguntei.

— Não faz um mês.

— É... Eu não a conhecia ainda.

— Vem muito aqui, então?

— Muito, muito, não. Mas venho.

Stela levantou-se para apanhar um carretel de linha e novamente voltou para a tarefa, ao lado do manequim encardido. A luz do sol, rala, branda, coando-se através da cortina de musselina branca, caía-lhe aos pés, e na doce penumbra suas mãos ágeis trabalhavam. Tinha os dedos grossos, marcados de espetadelas, as unhas cortadas bem rentes.

— A senhora sua mãe é amiga de Madame Graça? — indagou depois de trincar a linha preta nos dentes.

— Desde menina.

— Ah!

Houve uma pausa em que a tesoura entrou em ação.

— Muito boa madame, não lhe parece? — perguntou sem me olhar.

— Muito.

— Tenho gostado muito dela. Nunca manda, pede. E pede por favor. Não se zanga nunca, está sempre alegre, disposta, animando a gente... Dá prazer trabalhar com uma pessoa assim, não é mesmo?

Achei discretamente que sim, ela apurou mais um detalhe de sua obra, depois continuou:

— A última patroa que eu tive era dura de se aturar. Não foi possível agüentá-la mais. Tudo achava ruim, mal feito. Não falava melhor com a gente, era como se estivesse lidando com escravos. O senhor já teve algum patrão assim?

— Não. Eu nunca tive patrão. Sou estudante.

— Ah, sim!... De quê?

— Verdadeiramente de nada. Estou acabando os preparatórios. Acabo este ano. Depois é que não sei o que vou fazer.

— Deve continuar a estudar, ora! Se formar. Não há nada como a gente se formar. Meu padrinho sempre dizia isso. Queria que eu fosse professora. Eu comecei a estudar, mas era um pouco malandra — riu. — Mas ia indo. Depois é que tudo desandou. Meu padrinho morreu, madrinha ficou em dificuldades e eu me vi obrigada a abandonar os estudos. Fui trabalhar. Como sabia dar meus pontos, meti-me de costureira. É coisa um pouco ingrata. Trabalha-se demais, não há folga. Acaba-se um vestido, pega-se logo outro. Mas pode ser que um dia...

— Acredito que sim.

Ela levantou a cabeça:

— Tudo depende da sorte, pois não é mesmo?

Quando eu ia responder, o alfinete caiu e me abaixei para procurá-lo. Ela fez um gesto:

— Deixe!

Mas apanhei-o e entreguei-o:

— Aqui está.

— Muito obrigada. Mas devia ter deixado no chão. São mil que caem por dia. De tarde, quando se varre a sala, acham-se todos. É mais prático do que se abaixar a todo o momento, não acha?

— Sim, é mais prático. Mas para mim agora foi um prazer...

Ela sorriu:

— Há gosto para tudo.

O relógio cantou lá dentro com voz rachada — quatro horas. E Madame Graça chegava com seu sorriso aberto, seus modos despachados, sua gordura demasiada. Queixava-se de mamãe. Uma ingrata! Assim também era demais. Há um ano que não a via (há menos de quinze dias mamãe tinha ido visitá-la de noite). Jurava que não poria os pés em nossa casa enquanto mamãe não fosse vê-la.

— É que mamãe anda muito ocupada, Madame Graça. Muito cansada. É tanta lida lá em casa...

— Eu sei, histórias!... — E me entregando o vestido: — Diga a sua mãe que se não estiver como ela quer é só mandá-lo de volta.

E eu me retirei, não sem olhar demoradamente, mas disfarçadamente, para Stela, que me sorriu.

Aquele sorriso, aqueles olhos me perseguiram dois dias, ao fim dos quais nos encontramos novamente. Ela saía às seis horas da casa de Madame Graça. Às cinco e quinze já estava na esquina esperando por ela. Uma tremura forte e irresistível sacudia as minhas pernas e o meu coração — se ela não viesse? Procurava reagir andando de um lado para outro, fumando cigarro sobre cigarro, tentando recordá-la, já que as suas feições pareciam ter-se desfeito na minha memória.

Passou absorvida, apressada, não me veria na certa, se não me adiantasse. As pernas tremiam mais. A voz tremeu também:

— Boa tarde...

Ela abriu um sorriso perfeito e estacou:

— Que surpresa!

Fechando os olhos, plantado à sua frente, disse quase inconscientemente que a esperava.

— Por mim?!

— Sim.

— Verdade?

— Verdade.

Ela amassou a modesta carteira contra o peito, ligeiramente perturbada e indecisa se continuava parada ou prosseguia.

— Fiz mal?

Replicou prontamente:

— Não.

Eu estava suspenso no ar:

— Porque se fiz, não tenha o menor acanhamento de me dizer. Eu não me zango.

— Não! Falo a verdade.

— Sinto-me feliz por isto. Imensamente feliz.

Ela pôs-se então a andar e eu perguntei:

— Vai para casa, não vai?

Ela olhava o chão:

— Parece, pelo menos.

Uma sensação agradável de segurança me enchia todo aí:

— Podia ir mais devagar do que de costume?

Ela continuou com os olhos baixos, mas retardou os passos.

Passamos a fazer o mesmo caminho todas as tardes, e cada dia demorávamos mais a percorrê-lo. Ao fim de uma semana íamos de mãos dadas, perdíamo-nos por mil ruas antes de chegarmos à ladeira onde ela morava, no Rio

Comprido. Nascera ali, numa casinha de três cômodos, atrás de um armazém que prosperara. Ali perdera o pai, que era embarcadiço, conhecera o mundo a palmo, outras gentes. Os japoneses comiam arroz com pauzinhos; os chineses adoravam filhotes de rato fritos em manteiga; num lugar não sabia onde, os indígenas matavam os pais quando estes ficavam velhos; na África, as mulheres é que trabalhavam, os homens ficavam dormindo em casa, bebendo, fumando e se abanando por causa do calor! Deixava-a falar e ela falava muito. Sabia eu por que ela se chamava Stela? Ah! — ria — por causa duma canoa. Foi a primeira canoa que o pai teve, menino ainda, construída por ele mesmo. Sempre amara o mar, a aventura, o desconhecido. Seu desejo era ver o mundo, conhecer todo o mundo. E um dia foi-se ao mar! Acabara num cargueiro — o *Sereia*. Tinha o casco preto, baixo, um ar de navio fantasma, muito vagaroso. No mar das Antilhas, uma tromba-d'água deu conta dele. Não se salvou ninguém. Eram quarenta homens. Ela tinha oito anos. A mãe ficou como louca, não queria acreditar. Ninguém jamais pensara que o pai se casasse com ela. Conheciam-se desde pequenos, tinham sido vizinhos muitos anos numa praia de Paquetá, onde o pai dela era administrador duma caieira. Um dia ele chegou de uma viagem, foi procurá-la, dizendo que queria a certidão dela para tratar dos papéis. E quinze dias após estavam casados. Um mês depois, ele partiu. Seis meses mais tarde, voltou. Mais quinze dias e lá se foi. Quando veio de novo ela (Stela) tinha uma semana de nascida, era muito gorda — uma bola! A mãe escolhera o nome: Lourdes. Ele não disse nada e foi registrá-la. De volta é que se viu — registrara-a com o nome de Stela.

Tinha ela seis para sete anos, quando ele veio muito doente de uma viagem. Era um reumatismo muito forte, que quase não o deixava dormir. Ao fim de alguns dias estava livre das dores, já podia dormir, mas o médico recomendou que tomasse cuidado e fizesse, se possível, um tratamento mais demorado. Ele tinha seus cobres juntos, e seis meses pôde ficar em casa, tratando-se. Foi um tempo feliz! Recordava-se, comovida, umas lágrimas furtivas nos olhos. Ele era muito bom! Amava-a muito. Passeavam juntos, iam à praia, ao cinema, comprava-lhe uma porção de brinquedos, enchia-a de sorvetes, balas, gulodices, vestidos novos. O padrinho, que era engenheiro, ralhava com ele: você acaba estragando esta pequena de todo o jeito. Ele ria: estragava o que era dele. É, retrucava o padrinho, estraga o que é seu, mas quando for embora quem agüenta são os que ficam.

Quando ele morreu, a mãe ficou alucinada, queria morrer também. O padrinho protegeu-as. A mãe trabalhava como uma moura, lavando para umas famílias melhores das redondezas. Era ela, Stela, no princípio, quem entregava a roupa. Mas estava na escola. Fora um pouco avoada na escola. Muito distraída, diziam as professoras. O padrinho queria que ela fosse depois para a Escola Normal, saísse professora, tivesse o futuro garantido. Era bom. Mas, infelizmente, o padrinho morreu de repente, do coração, quando ela ia acabar o curso primário, aos quatorze anos. A madrinha ficou mal de vida. Era de São Paulo, voltou para lá, pois tinha ainda os pais vivos. Adeus, estudos! Foi obrigada a trabalhar. Mas não para lavar. A mãe não consentiu. Fosse costurar. Dona Amélia costurava para a vizinhança, tinha boa freguesia. Aceitou-a como aprendiz. Três meses depois estava afiada. Costurar é fácil. Um pouco de jeito, um pouco de paciência, um pouquinho de gosto, o resto vai sozinho. Mas Dona Amélia não queria ainda pagá-la. Era uma exploração! Procurou outro lugar. Foi para um ateliê no Estácio. Depois — a patroa era muito implicante — saiu e foi trabalhar na "Mariposa Azul", na Rua Sete. Agüentou-se um ano aí, mas trabalhava demais, comia mal, gastava muito dinheiro em bonde... Assim, tratou de arranjar um emprego mais perto, no bairro mesmo. Esteve pouco tempo nele. Também não havia pequena que parasse lá. Os donos eram uns gringos, gente danada! Só vendo. Andara ainda em duas outras casas, agora estava com Madame Graça. Madame era muito boa. Lá se iam três meses.

Uma noite, voltávamos do cinema, ela me disse:

— Não sei por que, tenho vontade de fugir. Parece que é o sangue de papai.

Eu olhava seu corpo, não respondi. Mas sentia que ela fugiria mesmo, um dia, para nunca mais. Não sei por que, nada fazia para prendê-la. Aceitava a idéia da fuga como um acontecimento que não podia deixar de ser. As mãos dela eram quentes, apertavam. Os seus olhos eram bem o chamado do mar, o chamado das ondas do mar, o chamado das ondas de um mar desconhecido, verde, fundamente verde, misterioso. Sentia-me fraco. Por que não faria nada para prendê-la, para tê-la sempre ao meu lado, já que sentia que a amava? Não sei. Está tão distante tudo isso, hoje, e o mesmo mistério perdura. Por onde andará Stela? Em que mares de homens se perdeu?

Às nove horas, eu esperava por Stela na esquina combinada. Era uma véspera de Natal, bastante quente, de um céu muito claro. Ela chegou e me disse, calma, resoluta, com uma grande indiferença pelo destino:

— Aqui estou.

— Querida!

Fomos andando, resolvidos. Tudo estava preparado por mim, com uma meticulosidade que me assombrava a mim mesmo. Tinha tratado o quarto. Tinha discutido com o homem do hotelzinho, combinado a chegada.

— É uma moça direita — dissera ao homem. — Séria.

— Destas vêm cá às dúzias.

Era português, com um sotaque muito carregado, um olhar sórdido que me arrepiou. Rebati com raiva:

— Mais respeito! O senhor está muito enganado!

O homem abaixou-se como um tapete. "Desculpasse-o... Não tinha a menor intenção de faltar ao respeito. Mas é que..." Não quis saber de mais nada. Saí. Estava tudo combinado. Às nove, nove e meia, estaria lá com ela.

Fomos indo. Tomamos um bonde, descemos. Andamos alguns minutos sem dizer uma palavra. Jamais pude saber se era por entendimento tácito, por medo do destino, ou por nojo antecipado do depois. Sei que ela me disse, de repente, com a voz mais rouca, os olhos mais verdes, apertando-me a mão com mais calor:

— Não devia ter vindo.

Eu tremi e paramos numa pequena ponte, como se, muda e previamente, tivéssemos combinado parar, não ir para a frente, ficarmos ali para sempre pregados. A lua é paz, é pálida, e nós tão pálidos. As horas correm, o barulho do rio correndo tinha uma tristeza de morte.

Duas velhinhas desceram a rua, vagarosas, de preto, escondidas nos xales. Passaram outras pessoas, formas vagas, que não pareciam deste mundo. E os sinos tocavam, tocavam...

— Vamos? — perguntou ela, rompendo um silêncio que parecia ser eterno.

Não fomos. Ficamos, pregados na pequena ponte, ouvindo o barulho do rio e o barulho dos sinos, vendo as estrelas na altura, esquecidos, perdidos, como restos de um naufrágio.

A DERROTA

Sentiu nos ombros a pressão das pequenas mãos de Magnólia. Depois — e ele estava junto à janela olhando o pequeno quintal cimentado, fechado ao fundo por um muro cinzento e hostil — depois as coxas quentes, o ventre, os seios empinados de virgem, tudo ele sentiu colado às suas costas. Por um momento fechou os olhos ao doce calor, num relaxamento que tinha muito de sonho. Mas o amigo estava no quarto ao lado, podia aparecer de repente... Afastou-se e dirigiu-se para a porta do quarto:

— Como é, Mário, você fica pronto ou não?

— Estou quase.

Entrou no quarto, o desalinhado quarto do amigo solteirão. Ele dava o laço na gravata.

— Só falta meter a papelada no bolso.

— Está bem.

Olhou-se no espelho — por que só agora via, deprimido, humilhado, as têmporas marcadas pelos primeiros cabelos brancos? E Magnólia entrou atrás, como se nada houvera acontecido.

— Quis arrumar o quarto, sabe? Mas o Mário não admitiu. Me expulsou daqui com uns desaforos bem pesados.

Mário riu:

— Cada um com a sua ordem...

— Não. A coisa é outra: cada porco com o seu chiqueiro.

Renato não sabia onde pôr os olhos. Riu forçadamente. Magnólia dirigiu-se a ele:

— Você não está com boa cara hoje, rapaz... (tratava-o sempre por rapaz). Que é que está sentindo?

Renato tremeu:

— Eu?! Nada. Isto é, uma pequena dor de cabeça...

— Cafiaspirina — recomendou Mário, enfiando nos bolsos uma infinidade de papéis.

— Ou carinho — emendou Magnólia.

Renato não se conteve:

— Depende de quem...

Ela derrotou-o em toda a linha:

— Para que é que o rapaz então é casado? — e riu gostosamente, encarando-o com os olhos atrevidos, olhos verdes, levemente estrábicos, aos quais as sobrancelhas arqueadas emprestavam uma beleza maior.

Recolheu-se mais tarde do que de costume, passava de meia-noite. (Ficara esticado no divã da pequena sala de entrada, pensando, pensando, tentando explicar a si próprio o que tinha acontecido. Mas veio um cansaço pesado demais. Tinha trabalhado tanto durante o dia, tinha pensado tanto durante o dia... Fechou o livro, do qual não lera uma única página, caminhou para o quarto.) Pela janela aberta vinha um raio de lua e pousava na cama. Dulce dormia já. Ele deitou-se também, com cuidado para não acordá-la. Ela, porém, falou baixinho, meio dormindo:

— É você?

Ele sorriu — quem haveria de ser? — e respondeu:

— Sou.

Ela puxou mais um pouco para o rosto a coberta e entrou de novo num sono tranqüilo. Ele fechou os olhos. Magnólia veio vindo — para que é que o rapaz então é casado? E ela vinha com os olhos verdes e a boca vermelha, infinitamente vermelha, com os seios empinados, com as mãos dum calor de sol de tarde, e vinha, e vinha, e vinha — o sono custou a chegar.

Era a primeira manhã fria do inverno carioca. Uma névoa baixava sobre as ruas, a umidade entrava até os ossos. Ainda não eram sete horas, quando saiu. Como fazia todos os dias, foi buscar o amigo. O motor custara a pegar, os pneus um tanto gastos derrapavam no asfalto molhado.

Chegou, foi entrando. O jardinzinho morria sem cuidados. Com a mão nervosa virou a maçaneta íntima, caiu na sala, onde tudo lhe era familiar; o grupo estofado de pano-couro, o tapete desfiando-se, o abajur com flores, a mancha de chuva na pintura da parede, o rádio sobre a estantezinha sem livros, o busto da moça olhando uma cereja. Ela estava na sala, como se esperasse por ele.

— Veio cedo, hem, rapaz... (Ele sentiu medo e ela tinha um sorriso de quem se vê vitoriosa.)

O coração batia agitado:

— Cedo?

Ela parecia que frisava as palavras, tão devagar falou:

— Nunca vem a esta hora. Acho que nem passa das sete...

Procurou ser natural:

— Então estou com o relógio adiantado. Pensei que já passasse bem das sete.

Ela levantou-se e caminhou para ele:

— Não tem importância. Seu relógio devia andar sempre assim.

E encostando-se nele: — Quanto mais cedo, melhor.

— E Mário? — gemeu.

— Está no banho ainda.

O rosto dela uniu-se ao seu. A cabeleira solta, loura, dum louro que o banho de mar queimara um pouco, palpitava num perfume de árvore em flor, num calor de travesseiro macio, num frêmito de asa de pássaro.

Ele ainda lutara:

— Mas o Mário pode aparecer... Que loucura!

As palavras entravam-lhe no ouvido com a pungência da traição:

— Ele está no banho... ele está no banho. Para que tanto medo?

E sentiu a mordidela na orelha. Depois a boca rasgada escorregou pelo pescoço, desceu, subiu, as bocas se uniram. E o sangue queimava, e a carne queimava, e tudo parecia rodar, e a sala era o céu e o chão faltava-lhe.

Afastou-se bruscamente — ouvira os passos de Mário. E Mário entrou:

— Que cara é esta, homem?

Não soube depois como conseguiu dizer aquilo:

— Estou sentindo uma vertigem. Parece que vou cair.

Mário correu para ele, amparou-o, fê-lo sentar no divã, desabotoou-lhe o colarinho.

— Café, Magnólia. Depressa, uma xicrinha de café.

E a mão do amigo afagava-lhe a testa, e o lenço do amigo secava o suor que escorria frio como o suor da morte.

— Mas como foi? Você saiu bem de casa?

Continuou a mentir:

— Saí. Foi de repente. Não sei explicar. Parecia que eu ia cair.

— Que diabo!

— É.

— Você nunca teve isso?

— Nunca.

Magnólia trouxe o café. Cada gole como que lhe custava a passar na garganta. E Mário insistia:

— Bebe, Renato. É para levantar as forças. Talvez seja uma vertigem de fraqueza. Você tomou café em casa?

Renato fez com a cabeça que sim. E Magnólia explicava com muitos gestos:

— Entrou, parecia que estava tão bem, estávamos conversando, depois ele começou a passar a mão na testa, parecia que ia cair, eu ia segurá-lo...

E ele não podia fitar Magnólia. Engoliu o último gole, como se engolisse veneno. Magnólia tomou-lhe a xícara com um sorriso que só ele viu.

E Mário levantou-se:

— Está melhor?

— Estou.

A voz do amigo era muito clara, muito decidida:

— Mas não vai trabalhar, não. Fica aqui até ficar bom de todo. Depois toma um táxi e vai para casa. Eu levo o teu carro, depois, de tarde. Vou nele para o escritório. Se sentir qualquer coisa — ouviu, Magnólia? — manda chamar o Doutor Pereira ali na farmácia. Não está bem assim?

Ele disse apenas:

— Está bem.

E pensou que iria ficar sozinho com Magnólia. E sentiu-se imensamente infeliz.

SERRANA

Nas manhãs cicatrizantes, a tortuosa estrada de terra vermelha me recebia como uma amiga generosa para os longos passeios a pé, passeios cheios de descansos, aqui numa pedra, ali sobre um barranco, onde pássaros pretos faziam ninhos.

O ar seco, fino como um punhal, entra nos pulmões enfraquecidos como um remédio de Deus. O azul do céu deslumbra. Os pássaros cantam, voam. Há estalos no mato, misteriosos rumores... E as folhas ainda guardam, rutilantes, o branco véu de geada que a noite gélida lhes trouxe.

Caminhava vagarosamente, respirava fundamente — sim, era bom respirar, sentir o peito cheio, expirar com energia uma nuvem de vapor. Os pensamentos são lúcidos, tranqüilos. As formigas são minhas irmãs... Uma bondade de convalescente enche o meu coração. Uma alegria de convalescente enche os meus olhos. É para mim que as borboletas voam, é para mim que o regato murmura, que as nuvens fazem-se e se desfazem, que os bois vagueiam nos prados com os seus grandes olhos tristes. As sombras são frias. Azuis, brancas, amarelas, modestas florezinhas sem nome desabrocham na beira da estrada sua escondida beleza sem perfume. Os passantes me cumprimentam, humildes, tirando o chapéu, me desejando saúde. E lá vão, de pé no chão, roupas de riscado. Todos com os seus porretes lustrosos, pitando cigarros de palha, trazendo bornais a tiracolo.

Ladeada por cercas de chuchu, a casinha perto do córrego, rente à estrada, me fala docemente ao coração. Foi ali... Fazia os meus primeiros passeios. Ela era morena, enfezadinha, tinha um jeito arisco de corça. Olhava-me sempre, sonsa, com o rabo dos olhos, quando eu passava. Seguia-me com o olhar, mas escondia-se, rápida, abafando risadinhas, se eu me virava para vê-la.

Um dia, eu lhe dirigi uma pergunta. Ela fugiu. Mas no outro dia me esperava como sempre. Ficamos amigos. Parava todas as manhãs ali para descansar e era o mais longo dos meus descansos. Sentava-me no tronco derrubado, púnhamo-nos de prosa. Ela não se sentava nunca — ficava em pé na minha frente, os braços cruzados sobre o peito que nascia, alisando com os pés descalços a poeira macia do chão. Estava de pouco no lugar. Era de um arraial próximo.

— Bonito?

— Feio toda vida!

Viera com o pai, que era oleiro, depois que a mãe morrera.

— De que morreu sua mãe?

Confundiu-se — morrera de doença, uma pontada na barriga que respondia nas costas... Não explicava bem, parecia querer esconder qualquer coisa. Desconfiei que ela mentia e não insisti.

E um dia ela me perguntou:

— O Rio é bonito?

— É.

— Mais bonito que Barbacena?

— É maior...

Ela parecia não acreditar muito. Não sabia ler, tinha quatorze anos (eu lhe dava mais) e uns olhos meio verdes, meio azuis, que tinha muito dos olhos dos gatos.

— Você gosta muito de Barbacena, não é?

— Demais!

— E do Rio, você gostaria?

— Não sei. Nunca provei...

Encontrei-a numa volta de estrada, muito antes da casinha.

— Você por aqui?

— Estava lhe esperando.

— Esperando? Por quê?

— É melhor. O povo já está falando muito. Já estou de ouvido quente.

Sorri:

— Mas falando o quê?

— Falando, uai!... Que é que o povo havia de falar?...

— Povinho danado!...

— Medonho!

Eu peguei-lhe na mão:

— E se fosse verdade o que o povo anda dizendo?

Ela fugiu:

— O senhor é que sabe...

Subimos por uma trilha, fomos nos sentar sob um ipê. O córrego serpenteava lá embaixo, a pequena vargem de cana se estendia na direção da estrada de ferro! Um bambual coroava um morro, bois pastavam na encosta oposta. E no azul muito vivo do céu voavam urubus.

Um pouco comovido, falei:

— Boa terra esta, não é?

— Nem por isso... Do outro lado do bambual, sim, é que ela é boa. Terra de plantação. Tudo do Zeca Batista, um unha-de-fome desgraçado!

Eu me ri, peguei-lhe na mão e ela agora não fugiu. E era mão áspera, os dedos todos rachadinhos, encardida. Ela percebeu:

— É de sabão da terra. Arrebenta com as mãos da gente.

— Use outro sabão.

— Onde o pai vai caçar dinheiro?

Houve um silêncio demorado. O vento abafava seus cabelos. Foi ela que veio:

— Perdeu a fala, homem?!...

Diomar tinha sardas de sol no nariz petulante, um cheiro de palha de milho nos cabelos, que ela prendia com uma fitinha preta. O santinho de alumínio era pendurado por um alfinete de fralda à beira do corpinho. Esticara-se no chão, eu me estendera ao lado, o ipê nos protegia.

— Por que é que você fugia de mim no princípio, hem?

Mostrava os dentinhos miúdos de rato, ligeiramente acavalados, ligeiramente amarelados:

— Fugir não é não gostar...

— Mas por que ria então?

— Achava você engraçado.

— Engraçado? Engraçado como?

— Não sei não! Você parece padre.

— Padre é assim?

— É. Não sabia não?

— Não. Nunca me confessei.

— Faz mal. Devia. Homem sem religião não presta...

— Muito obrigado.

Ela ria de banda:

— Não tem nada de agradecer.

— Você sabe o que é uma criatura sarcástica?

— Como é?!

— Sarcástica.

— Não sei o que é isso não.

— Ainda bem.

— É coisa feia?

— Depende...

— Está me xingando, bem?

Eu ri, abracei-a:

— Você sabe o que é uma criatura adorável?

— Só sei o que é adorável.

— Diga.

— Marca da cachaça do Manuel Inácio.

Espremi-a nos meus braços:

— Você vai me pagar estas zombarias todas com um beijo, sabe?

Ela fingia se esquivar:

— Não sei não.

— Pois vai pagar.

— Beijo não paga nada. É esmola.

Pedia que eu lhe contasse como era o mar. É salgado, Diomar. (— Eu sabia.) Tem ondas, ora é manso, ora é furioso, como o coração dos homens... (— Não brinca. Fale direito.) Não estou brincando, Diomar. O mar é assim: um dia é manso como uma pomba, no outro destrói tudo. Ela já tinha visto numa revista — jogou um muro enorme no chão. Mas de que cor ele é? queria saber. Varia, Diomar. Varia muito. Ora é azul, azul-claro, azul-escuro... Ora é verde, verde-claro, verde-escuro... Algumas vezes fica cinzento.

— Cinzento-claro, cinzento-escuro?

— Isso.

— E os navios?

— Que é que você quer saber dos navios?

— São grandes?

— São grandes, pequenos, de todos os tamanhos.

— Mas os grandes são do tamanho de um trem?

— Muito maiores, Diomar. Do tamanho de dez trens.

— Você está mangando de mim!

— Por que mangando?

— Dez trens?

— Dez trens, Diomar.

— E o mar não tem fim?

— Fim tem, mas é tão longe, tão longe, que é como se não tivesse fim mesmo.

Diomar fica pensando.

Veio uma quinzena de chuva intérmina. Os dias tinham a duração de séculos para mim, preso em casa, vendo através das vidraças de guilhotina a chuva cair, cair sem cessar, encharcando a estrada (onde os cavalos patinavam arriscadamente na lama alta de três palmos), escondendo os morros com o seu manto dum branco sujo e triste.

Os livros não me acalmavam, e não era desespero o que eu sentia. Viera para ficar bom, precisava ficar bom, seria incapaz de uma imprudência. Mas sentia falta de Diomar, uma falta física, a necessidade de sua presença para encher o vazio da vida que levava naquele vasto casarão deserto, naquele casarão de cura de altas e lisas paredes caiadas, de amplas janelas antigas, de teto de esteira e iluminação de querosene. Vagava pelas salas vazias como um pobre fantasma. Revistava cômodas e armários, descia ao porão onde guardavam milho, onde uma cadela perdigueira protegia a sua ninhada com rosnares ameaçadores. Punha-me à frente do papagaio, ficava observando os seus olhos desconfiados, ouvindo as tolices que dizia e que nem engraçadas eram. E a chuva caía. Caía sem parar. E eu me lembrava de Diomar, me perguntava por que ela não me viera ver, ela que sabia onde eu estava, ela que sabia que eu não podia me arriscar num mau tempo, ela que... Encostava-me à vidraça. A água escorria dos vidros como o pranto dum gigante invisível. As galinhas arrepiadas ciscavam sob o telheiro da lenha. O terreiro era um lago. As trepadeiras pareciam tremer de frio. Punha os olhos na estrada numa esperança vaga. O dia escorria. Escorria como a água do céu de chumbo. E Diomar não aparecia.

Quinze dias! e afinal o sol surgiu como uma redenção. E quando a lama ainda não secara na estrada, eu saí. O caminho estava escorregadio, o ar tinha um cheiro diferente, o córrego transbordara, e lá ia com sons roucos na sua cheia, cobrindo pedras, desmanchando barrancos, ameaçando pinguelas.

A volta da estrada em que ela passara a me esperar todos os dias estava triste sem ela. Olhei para o nosso ipê — nada! Fui para a frente. A casinha estava fechada, silenciosa, deserta. Voltei desolado.

Mas no outro dia me enchi de coragem e fui me informar na casa próxima.

— "Se mudaram-se" — me disseram.

— Mas para onde? — perguntei um pouco sem graça.

Responderam-me com risinhos — tinham ido para Vasconcelos, de repente, pois o pai arranjara melhor trabalho lá. Afastei-me sob os risinhos. Senti-me ridículo. Pensei em ir a Vasconcelos no outro dia, sonhei com Diomar, mas adiei a viagem.

COMPOSIÇÃO DE CARNAVAL

Maria Rosa ficava no fim da serpentina, cabelos deslumbrantes de alvoroço e dourado, bailarina azul, solitária sobre a capota descida do trepidante automóvel.

O corso rodava, vagaroso, com tripla fila, com amplas e seguidas paradas, entre alas de ditos e fantasias — havia corso, então, foi há tanto tempo que os automóveis ainda não eram fechados para os donos não sofrerem frio ou poeira e esconderem melhor seus mistérios de amor.

Em parábolas, as serpentinas cortavam o ar da Avenida, desaguadouro dos foliões de todos os bairros, compacto manto feliz de narizes falsos, máscaras grotescas, vozes de falsete, cantos, rodopios, reco-recos.

A serpentina não findara. Maria Rosa recolheu no regaço de filó o rolo quase intacto; num gesto difícil, desajeitado, devolveu a fita amarela com o beijo na ponta que veio estalar no coração juvenil, e que ainda hoje ecoa com a mesma cor e fragrância na entrada de um outro carnaval sem corso e sem serpentinas.

Ai seu Mé!
Ai seu Mé!
Lá no Palácio das Águias
Olé!
Nunca hás de pôr o pé!

Das sacadas pejadas de gente tombava o confete, gotas multicores de papel, que escondiam o chão; o céu ameaçador para os lados do mar estremecia de relâmpagos; o calor como onda misturada de éter perfumado não diminuía o furor da alegria; e o chii dos lança-perfumes e os gritinhos nervosos das moças atingidas pelo friozinho folião e gentil.

A serpentina parecia inextinguível. No meio de mil outras, minha e amarela, ligava dois desejos fugazes por suas pontas frágeis. Novamente cortou o espaço a caminho do regaço azul. Parou ao meio, finda afinal, ficou vibrando no ar como desesperada bandeira compridíssima. Ah! abriu a boca pintadíssima — outra! outra!

Voou ao maravilhoso apelo a serpentina azul, que se confundiu no saiote da bailarina por três dias e as pernas alvas cerraram-se para contê-la.

Vem serpentina azul, vai serpentina vermelha, os estandartes improvisados requebram no meio do povaréu, os trombones usam toda a voz, os pandeiros, os chocalhos, os instrumentos improvisados com latas e caixas de charuto atordoam, todas as bocas, milhares de bocas sabem de repente a mesma canção, um único ritmo como que sacode a Avenida de ponta a ponta, e Maria Rosa canta também e sacode-se, bamboleia, bate palmas, mexe com os desconhecidos e segura-se medrosa aos ferros da capota, quando o carro dá um arranco para parar dois metros adiante.

Ai seu Mé!
Ai seu Mé!
Lá no Palácio das Águias
Olé!
Nunca hás de pôr o pé!

Maria Rosa tem pouca direção nos seus golpes — a serpentina verde passa longe do meu alcance, a violeta bate no pára-brisas, a branca atreve-se a deslizar pelo grande bigode do chofer ao meu lado — quantas se perdem pelo chão, escondendo-se no tapete de confetes, esmagadas pelos pés dos mascarados e pelas rodas dos carros!

Mas mesmo assim os nossos carros vão se unindo na trama rápida e enamorada das fitas de papel — sou rico de serpentinas, de entusiasmo, de desejo. Os pierrôs que a acompanham — três de preto, imensas golas escarlates de tarlatana e guizos — vivem o seu momento carnavalesco em pé no automóvel. Do meu lado os companheiros têm olhos para outros acontecimentos. E estamos como que sós no meio da desordenada batalha e os carros chegaram a ficar tão juntos que nos falamos.

Debrucei-me no pára-brisa:

— Como é o seu nome?

Passa o caminhão de crianças e girassóis, como um imenso caramanchão, num alarido:

O povo só quer a goiabada
campista.
Rolinha desista,
Abaixe essa crista...

Insisti:

— Como é o seu nome?

Apurou o ouvido:

— Quê?

— Como é o seu nome? — e o chofer me olhava de soslaio.

Trazia a boca pintada em forma de coração:

— Meu nome? Para que saber?

Atrevidíssimo, delirante:

— Porque gostei de você.

Tão brejeira:

— Oh!

Os carros arrancam em estampidos e fumaça, o liame de serpentinas resiste ao retesamento, os relâmpagos amiúdam-se, se escurece não é só a tarde, é a tempestade de verão que vem e é preciso aproveitar todos os minutos.

— Não quer dizer?

Fazia trejeitos: que não.

— Por quê?

Jogou mais serpentinas, soprou uma corneta de papelão, cochichou com os três pierrôs. De braço com um dominó, a caveira passa com a curva foice arrepiando os medrosos — sai azar! — O urso sacode o corpanzil de saco de aniagem — se acendessem um fósforo era uma vez um folião! Uma velha canção brota de todas as almas:

Ó pé de anjo!
Ó pé de anjo!
És rezador, és rezador,
Tens um pé tão grande,
Que és capaz de pisar Nosso Senhor!

Aí eu já implorava:

— Não quer dizer?

Era linda! Os dentes miúdos como bagos de milho branco, manchas de sol ao longo dos braços trigueiros, o corpete tão justo que fazia uma marca no peito, o suor escorrendo pelas faces de carmim. A faísca serrou o céu. As primeiras gotas, enormes, estalaram, oh! rugiu a Avenida inteira — chuva!

— Maria Rosa! — gritou ela no meio do oh! imenso e retumbante como trovão.

A chuva caiu como um sólido, fulminante, diluvial, batia no chão e levantava-se branca como vapor. Num átimo as sarjetas se encheram, os ralos entupidos de confetes e serpentinas afogadas. Em debandada o povo fugia para apinhados e precários abrigos.

O automóvel dela, destro, enfiou pela primeira rua. Ia encharcada já, acenando com o braço de sol. O nosso, por estupidez do chofer, continuou ainda, para fugir afinal por outra rua adiante.

CENAS DA VIDA CARIOCA

1933

Seu Martins, que, com uns cabelos brancos aqui e ali, navega na casa dos quarenta, já teve bons e maus mares, mas como é carioca da gema não há tristeza que lhe pegue. Dona Alzira, que é um autêntico despertador, bota-o para fora dos lençóis:

— Levanta, homem, que já está na hora!

— Vai preparando o café, que eu já vou indo — responde de olhos fechados.

— Está pronto há mais de meia hora.

Não há outro remédio — Seu Martins abre os olhos, espreguiça-se, senta na cama (sonhou com pavão), torna a espreguiçar-se. Faz uma manhã magnífica, luminosa, transparente. Ainda bem. Tapa um bocejo: Vamos para a luta. Vai para o banheiro arrastando os chinelos, fica remancheando — tem tempo.

A navalha está desgraçada de ruim, mas ele não liga. Vai arrancando barba e pele, deitando, pela janela, olhadelas para a gaiola pendurada numa sombra do quintal, conversando com o saltitante passarinho como se ele fosse gente: — Perdeu o pio? Está com dor de dentes? Você precisa se casar, rapaz!

Banho é de chuveiro, com sabonagem demorada — tem tempo — e acompanhamento de assobio e canto. Há de tudo: valsas remotas, canções da mocidade — "Ó minha carabu, dou-te meu coração", "Perdão, Emília, vou partir chorando"... — mas o forte é o samba mesmo. Não há samba novo que ele não saiba. O ritmo do "Barraco abandonado" é do balaco!

Não quero mais saber da orgia,
Preciso ser trabalhador.

Dona Alzira bate na porta:

— Anda, Martins, está na hora.

Engole o resto do samba, faz voz grossa:

— Já vou.

Depois de procurar uma porção de objetos que estavam bem na ponta do nariz, depois de espalhar roupa por todos os cantos do quarto, senta-se à mesa, pronto e satisfeito, a xícara de café com leite fumegando na sua frente.

— Manteiguinha ordinária, livra!

— Pois é de Petrópolis.

— Quem não come, acredita.

Mas vai passando-a no pão como se a reclamação fosse para outra manteiga que não aquela. De repente, franze a testa:

— Por onde anda o Nélson, que eu não o vi? (Trata-se do caçula, mimadíssimo.)

— Está no jardim tomando sol — responde Dona Alzira.

Fita inquieto a mulher:

— Olhe lá se ele foge para a rua!...

Ela acalma-o:

— Não tem perigo. A Anália está vigiando-o.

A testa volta ao natural. Anália, mulata trintona que veio da roça, e está há dez anos na casa, é considerada como pessoa da família. Sossegado, Seu Martins bebe um gole e volta:

— E os pequenos já foram para o colégio?

— Há mais de uma hora.

Mas Seu Martins gosta de saber tudo:

— Levaram boa merenda?

— Que haviam de levar? Pão com goiabada e bananas.

Seu Martins aproveita mentalmente a letra do samba, "banana tem vitamina, menina!", e alto:

— E a Marília tomou o remédio que o Doutor Coelho mandou?

— Custou, mas foi.

— Essa pequena está me ficando muito cheia de chiquê.

— É, mas trate de voar senão você perde o bonde.

— Perde o quê! Tem tempo! — e corta calmamente mais uma fatia de pão. — Afinal — não é, Alzira? — Seu Gonçalves tomou vergonha na cara e está fornecendo um pão mais decente.

A mulher concorda, ele bebe outro gole e pergunta:

— Quer que traga alguma coisa da cidade?

Dona Alzira, que está em pé na frente dele, esfregando as costas da cadeira com a mão, esperava pela pergunta.

— Já ia pedir. Olhe, você me traz uma fava de baunilha, bem gorda! Duas latas de salsichas do Rio Grande — paulistas não quero! — uma latinha de fermento em pó, do bom, e uma nova forma de alumínio, das grandes, que a nossa não dá mais nada. Me traz duzentas e cinqüenta gramas de ameixa preta também. Ouviu bem? Vê lá se vai esquecer de alguma coisa.

— Se esquecer, logo se vê.

— Deixa de brincadeira. Quero fazer uns doces para amanhã, que é feriado, e talvez o Doutor Medeiros venha cá.

— Daquele livro de receitas que você ganhou na Feira de Amostras?

— É.

— São boas?

— Você não gostou daquele pudim de creme e chocolate ontem?

— Formidável!

— Pois é dele.

— Melhor que uma mulher bem nua!

— Lá vem você com indecências!...

Seu Martins dá uma gargalhada um tanto patife:

— Você não compreende o Belo!

Agora é Dona Alzira que ri:

— Você sempre safado.

O relógio bate sete e meia. Seu Martins dá um pulo, Dona Alzira grita pela centésima vez no ano:

— Perdeu o bonde!

Seu Martins dá um beijo apressado na patroa, dá um beijo apressadíssimo no caçula — té logo, Anália! — e vai voando. Sai sempre atrasado de casa, mas nunca perdeu a hora de entrada no escritório, onde trabalha dobrado porque trabalha sorrindo.

Às quatro horas, a moça frisadíssima do telefone chamou-o:

— É para o senhor, Seu Martins.

Ele pega o fone com energia:

— Alô! É o Martins — e, quando ia perguntar "quem fala", reconheceu a voz da mulher.

Dona Alzira está telefonando da padaria porque Seu Martins não tem telefone em casa. Quarenta mil-réis por mês é loucura! Quarenta mil-réis dão para oito jogos de futebol (sozinho), quatro cinemas no bairro (com a mulher e filhos), dão para uma prestação qualquer — tal é o seu raciocínio. Só não dão para economizar. Economizar quarenta mil-réis é asneira. Economia só vale de um conto de réis para cima. E como nunca tem um conto de réis limpo, a caderneta da Caixa Econômica existe pró-forma.

— Que é que há, Alzira?

A mulher informa com voz macia que a Marina — coitada!... — trouxera a filhinha para ela ver na hora do almoço. (Seu Martins almoça na cidade, numa pensão da Rua General Câmara, segundo andar sem elevador, dois e quinhentos por refeição.) Marina é afilhada do casal. Afilhada de batismo. A mãe fora uma pobre costureira, vizinha do casal Martins, no Méier. Morrera, a menina fora para a casa de uma tia no Engenho de Dentro, mas passava meses com os padrinhos. Agora estava casada, tinha uma filhinha que era um encanto, mas perdera cedo o leite, dera leite de vaca engrossado com aveia, a conselho de uma vizinha, e a menina teve uma diarréia dos diabos. Correu aflita para a casa da madrinha. Seu Martins levou-a ao Doutor Coelho, um velho amigo, que tratava dos seus filhos.

— Isto não é nada. Sua netinha vai ficar boa logo — disse o médico brincando.

— Neta, uma ova!

Doutor Coelho riu muito e receitou uma farinha cujo preço não era para a bolsa do novel casal, modestíssimo comerciário. A menina sarou e Seu Martins pagou tudo. Pagou de boa cara. Gostava da menina — uma tetéia! — como gostava de todas as crianças.

Agora, Dona Alzira contava-lhe que o Doutor Coelho mudara o regime para uma outra farinha, ainda mais cara. Marina viera pedir o favor de continuar a protegê-la. Seu Martins tentou uma advertência:

— Você não acha que nós já fizemos bastante, Alzira?

A mulher respondeu com um oh! de condenação. Seu Martins não discutiu:

— Está certo, mulher. Diga à Marina que pode contar com a gente.

— Então eu vou dar ordem ao Seu Joaquim da farmácia para ela levar as latas que precisar, ouviu?

— Está bem, Alzira. Regule o assunto aí como você quiser. Té logo. Estou muito ocupado.

Enterra mais contra os olhos a pala quebra-luz e se engolfa novamente na soma meticulosa dos lucros dos patrões.

Abajur futurista para ajudar a leitura dos vespertinos de oposição, feita em pijama e chinelos na cadeira de balanço, Dona Alzira cose. O rádio toca. Os pequenos fingem que estudam na ponta da mesa com cisne de louça no meio. O caçula choraminga um pouco no quarto. Anália vai lá e ele torna a dormir.

O velho relógio dá dez horas. Seu Martins, que já leu todos os crimes, todos os acidentes de rua, todas as notícias esportivas, todos os impasses políticos, todas as descomposturas no governo, todos os anúncios, desperta do cochilo que coroou a prolongada leitura:

— Está na hora do meu leite com canela, Alzira.

O filho mais velho corrige o pronome:

— Do nosso, papai.

Seu Martins dá um balanço na cadeira:

— Mas vire esse rádio aí, menino. Ópera é música para boi dormir.

1934

O lixeiro já passou com o programa diário: bater de latas na calçada, pigarros tremendos, reclamações, berros entre ferozes e amorosos para a mula da carroça: "Pra frente, Simpatia! Tá te fazendo de engraçada hoje, peste!"

Agora as obras da vizinhança estão chamando os operários, num malhar sonoro de ferro — pem! pem! pem! São sete horas.

Dona Consuelo é a primeira a se levantar. Seu Alfredo vem muito depois. É funcionário público, só entra às onze na repartição, de maneira que tem tempo de sobra.

É ela quem tira os filhos da cama:

— Está na hora do colégio, crianças.

Luís Fernando e Maria Lúcia não gostam muito nem de acordar cedo nem de colégio, mas são coisas que a vida obriga e não há remédio senão acostumar. Enquanto estão no banho, Dona Consuelo está na cozinha. Ela é quem faz tudo em casa. Empregada nos tempos que correm é esse desespero que se sabe: não há nenhuma que preste, todas umas lambuzonas, umas malcriadas muito grandes e um dinheirão para quem quiser!

A água está no fogo para o café. Dona Consuelo assobia, canta, mexe nisto, mexe naquilo, naquela atividade matinal de todos os dias.

— Onde está o abridor de latas? Quer ver que este pequeno andou mexendo nele...

Vai se informar com os garotos, que não sabem do objeto. Seu Alfredo já está acordado, mas, segundo o hábito de quatorze anos de funcionalismo, está deitado na cama, em posição relaxada, de olhos abertos, "gozando a manhã".

— Você viu o abridor de latas, Alfredo?

Ele responde seco, com preguiça:

— Não.

Dona Consuelo dá uma batida em regra no armário. Procura que procura, afinal dá com o maldito ferro num cantinho, atrás da lata de mate.

A água já está fervendo, o bico da chaleira fumega. Prepara o café, abre a lata de leite condensado, carrega tudo para a sala de jantar, onde os príncipes — conforme a própria expressão de Dona Consuelo — já estão aboletados, brincando com as colheres.

— Colher não é brinquedo, larga isso, menino!

Enche xícaras de meter medo e via de regra sujeitas a repetição.

Enquanto comem, temos conversas de vários tipos.

Higiênicas:

— Vocês lavaram os dentes, crianças?

— Lavamos, sim senhora.

Escolares:

— Vocês estudaram as lições direito?

— Estudamos, sim senhora.

Econômicas:

— Seu Gonçalves cada vez manda o pão menor. Uma vergonha! Acaba a gente só vendo ele com uma lente.

O coro fica mudo, mastigando.

— Bote mais um pouco de leite aqui, mamãe — pede Luís Fernando.

— Pra mim também, mamãe — emenda Maria Lúcia.

Dona Consuelo, que tem um certo orgulho do apetite dos filhos, reenche as xícaras. O relógio (meio carrilhão) previne que faltam quinze para as oito.

— Depressa, pequenos!

Há a debandada afobada. De casa para o colégio é um bom pedaço a pé e as aulas começam às oito na exata.

Nove horas. Dona Consuelo já atendeu ao quitandeiro, brigou com o caixeiro, reclamou a carne do açougueiro

— nervo só, não tem cabimento. Se continuar assim, mudo outra vez para o açougue de Seu Caetano.

Seu Alfredo aparece, segurando a calça de andar em casa, reclamando:

— Onde é que está meu cinto velho?

Revista na casa. Foi encontrado debaixo do *étagère*. Dona Consuelo, que protege muito o Sultão, disse:

— Isto é arte de Luís Fernando.

Seu Alfredo, barbeado, e com um banho de chuveiro, que é uma tradição de família, senta-se na mesa (dá-se ao luxo de torradas) para tomar o seu mate, porque o mate é o chá brasileiro, muito melhor que o chá, mais fresco, mais diurético, mais barato, mais patriótico, etc. E temos nova sessão de perguntas e respostas, com Dona Consuelo em pé, encostada na mesa.

— Você já pagou o armazém?

— Já.

— Tudo?

— Tudo.

— E Seu Alexandre?

— Também.

— Madalena telefonou?

— Não.

O telefone de que se utilizam é o da farmácia, pertinho, e Madalena é a filha mais velha, louca por cinema. Está na casa da madrinha, em Copacabana, sob o pretexto de tomar banhos de mar, porque está muito anêmica, precisando de sol, mas na verdade para ficar livre dos velhos, andar quase nua, flertar à grande, tomar sorvetes, dançar, fumar, e fazer outras coisas chiques. Os dois pensam, mas não dizem — ingrata!

Às dez horas é que começa a lufa-lufa.

— Onde é que está a minha camisa? Não tenho camisa, Consuelo?

Bem que tinha. Dona Consuelo chega e mostra:

— Está cego?

Seu Alfredo também não tinha meias, nem lenços. Tinha tudo. Dona Consuelo ia ver — está aqui. E afinal vai para a mesa e engole o almoço com sobremesa de banana frita, açúcar e canela; chupa o cafezinho requentado, acende um Clássico ovalado (cheques, cheques e mais cheques!) e sai para apanhar o bonde do horário, onde cumprimenta uma boa quantidade de passageiros.

Dona Consuelo fica absoluta nos seus domínios.

Meio-dia e meia. Regresso da dupla escolar com uma fome monstruosa. Novo almoço, mais um prato de bananas fritas. Depois a dupla some-se pela vizinhança. Maria Lúcia metida na casa das amiguinhas, e Luís Fernando, segundo Dona Consuelo, "sempre no meio da molecada".

Três horas. Quem visse os dois na hora do lanche imaginaria que não comiam há uma semana. O prato de mingau dá para alimentar, folgadamente, um regimento. Raspados os pratos, novo sumiço.

Dona Consuelo já está com o jantar no fogo. Deu uma conversinha com Dona Matilde, pelo muro do lado direito. Outra palestrinha com Dona Filomena, pelo muro do lado esquerdo. Com Dona Eulália, que fica no muro dos fundos, a palestra é mais difícil, pois tem o galinheiro e as goiabeiras para atrapalhar; a conversa fica mais por sinais do que por palavras. Depois vai se sentar no banquinho de costuras, porque o marido está com as camisas em petição de miséria, Maria Lúcia precisa de vestido novo para sair (matinê de domingo no cinema Maracanã) e Luís Fernando anda num relaxamento com a roupa que não há ninguém que agüente.

Quatro e meia. Nova aparição da dupla, com um convite para banho e roupa limpa. É quando eles se dedicam um pouco às tarefas escolares, mas como a mesa fica perto da janela, é um minuto de olho no livro e dez na rua.

Cinco horas. Toalete de Dona Consuelo. Banho com água-de-colônia, vestido de bolinhas, com avental por cima para defendê-lo, e sapatos tipo sandália, todo aberto, muito cômodo. Sem meias por calor e economia.

Seis e meia. Entrada triunfal de Seu Alfredo, com vespertinos debaixo do braço, embrulhos (café, pão da Padaria Francesa, remédio para o nervoso), queixando-se do calor na cidade — horrível! — e do chefe da repartição — um bandido! Passa pelo banheiro, lava o rosto para desafogar, muda o pijama depressa e vai voando para ver as galinhas chocas.

O último que entra é o Sultão (trinta raças misturadas), rabo em pé, com uma fome danada. Passa os dias na rua. Inimigo de banhos, responsabilizado unanimemente pelas pulgas da casa.

O jantar é a única refeição que todos fazem juntos durante a semana e durante o qual os filhos são repreendidos de várias maneiras e por variadíssimas causas. Mas, como a fome é conciliadora, tudo acaba muito bem às sete horas para Seu Alfredo, que vai tirar a tora na varanda, na cadeira de balanço, e para os garotos, que voltam para o seu verdadeiro domicílio — a rua. Para Dona Consuelo, não. Tem que tratar ainda da cozinha, lavar os pratos, guardar a louça, arear as panelas... O rádio está ligado para a Estação do Povo — sambas, marchinhas, coisa decente, piadas de matuto, português, turco e italiano. Dona Consuelo chega a parar os seus afazeres para apreciar e rir. De vez em quando dá um palpite:

— Boa, hem?

Seu Alfredo é mais refinado:

— Assim, assim.

Oito horas, mais ou menos. Dona Consuelo, depois de catar os filhos na vizinhança, dá uma prosa de portão com Dona Isabel, Dona Matilde, Seu Albuquerque (marido de Dona Matilde) e outras figuras da vizinhança. Nariz torcido para Dona Florzinha, que é a intrigante da rua, e que fez com ela uma de se tirar o chapéu!

Os garotos entregam-se aos livros por uma hora apenas, porque o cansaço chega depressa. Os olhos de Maria Lúcia começam a piscar e Luís Fernando abre a boca de minuto a minuto.

Às dez horas, depois de um copo de leite com biscoito de fubá, cuja receita é do tempo da vovó, recolhe-se ao berço a família feliz, para, no outro dia, com a graça de Deus, recomeçar a vida, com a mesma boa vontade de viver.

O que o atrapalhava agora era aquele dente da frente (melhor seria dizer "a falta do dente da frente"). Mas o canino de ouro era infernal!

— Não, meu filho, não quero. Obrigado.

Tratava-se da fava perfumada, que eu recusara comprar — perfumada demais... E estávamos num café movimentado do Castelo, às cinco horas da tarde. Defronte da mesinha, o espelho.

Ele:

— Gostei da palavra! É isso mesmo: meu filho. (Os olhos vermelhos, o jeito mulato, os cabelos mulatos, e a atração do espelho, falando mais com o espelho do que comigo, falando mesmo só com o espelho, fazendo gestos, gostando dos seus gestos, admirando-os profundamente.) É a sentimentalidade que a gente tem profunda, compreende, não é? Como a morte, como o mar, como o vento. Não é a boca que diz, é a coisa lá dentro, o êxtase sensível da criatura. Corri mundo, meu filho — batia no peito. O mundo estava aqui — o espelho refletia a mão esquerda batendo firme contra o coração — e aqui — e o espelho refletia dedo grosso, de unha suja, repuxando a pálpebra do olho direito, matreiro, puxa! sangüíneo, sabido, que tinha visto coisas, tantas coisas como o olho esquerdo! Deus é quem viu, nem adianta não acreditar em Deus — deu a risada, me envolvendo num hálito de cachaça, mostrando as gengivas tão congestionadas, e o canino de ouro brilhante como uma jóia. Deus é quem viu — ordenança do General Rondon, ficou perdido no meio do mato, floresta brava, ele e um índio. Falava o guarani (falava também inglês), furou pelo mato, cipó como pó, deu no pouso de aviões do Tocantins, sabe não? do Tocantins. De Hamburgo a Bremen foi pendurado se agarrando por baixo de um carro de carga, ele e Kolovoski, cabra bom, doido, o polaco! No bolso nem um tusta. Botou a vista — não havia sombra de navio brasileiro no porto. Tinha era navio grego — ia para a Índia. Faltavam dois moços de convés, sabe o que é? Pois é, comeu muita galinha com açafrão (com a mão), o calor derrubava o povo, até cobra na rua havia. Elefante é mato, e o inglês velho mandando. O polaco morreu — água de poço é aquela desgraça. Nada de voltar para Hamburgo. O *Brazilian Princess* era um navio conhecido. Navio bom. Engaja? Engaja. Faltava um moço de convés. Serve? Serve. Quem lhe dissera foi um caboclo da Paraíba, que estava no "Princess". Ele o conhecia do Havre, numa casa de mulheres — mais de cinco mil francos! Foi para o comandante. "Are you an Indian sailor?" "No, I'm brazilian. I'm from South America." "Oh, yes, brazilian!" Caprichava na pronúncia, o suor descia pelo rosto, passou o lenço imundo.

Front. O mesmo que frontão aqui. Diz-se front como se a gente dissesse: vou para o front. Pois é. Uma pule, meio dólar. (Dizia meia dólar.) Lepte! — deu uma lambada com os dedos — dois mil dólares! O primo estava dependurado no West Side. Vamos para o Brasil. Que Brasil, rapaz! Vamos é comprar tudo em cachaça no primeiro navio brasileiro que aparecer. Ganhou dezoito dólares. Em cada garrafa, explicou. Gringo bebe pra chuchu. Fez uma pausa: Dinheiro no bolso é que é a história. Mais de doze contos no bolso. Se visse no chão uma nota de quinhentos, nem pegava.

— Baiano, meu filho! (Riso e espelho.)

Trinta e sete, estava bem, não é? Quem é que dizia que ele tinha trinta e sete anos? E tinha corrido o mundo. O que as autoridades, não as autoridades militares, porque o militarismo era no mundo um evangelho agora, o que as autoridades civis precisavam era isso — conhecer mundialmente o mundo, porque só o conhecimento das coisas é que dava para eles enxergarem, para poderem julgar, porque bofetada na cara, parei! não era assim que se julgava um homem (espelho). Bofetada na cara, aí sim, e esse negócio de cadeia é para isso.

Deu aquele suspiro fundo de virar os olhos — conhecia o mundo. Favas do Pará? Riu. O senhor não foi no golpe. Bom, ele também ali não estava mentindo. Não adianta mentir, o senhor viu logo. Poxa, mas no mundo há besta pra chuchu! Enfiava uma fava dentro d'água-de-cheiro, deixava a bicha secar, partia na cara do bicho, o bicho tomava o cheiro — Pará, meu filho — o bicho comprava. O senhor é do Pará?

— Não, sou daqui.

— Bem, conhece as coisas. Favas... Agora eram favas, mas ele vendia o diabo! Risinho: abafava os troços — homem é isso, meu filho! Roubava, afanava, dava um jeito, vendia. Só na Bahia vendera noventa e cinco máquinas de fotografia moambadas em Nova Iorque. Daquelas pequenas de caixão, não sabe? Por quanto, diga lá? Faça preço bem baixo.

— Quarenta.

Muxoxo, espelho, três passos pra trás:

— Nove! O cabra de bordo dizia, você é doido, rapaz, custam aqui sessenta! Num gesto tranqüilo: foi tudo por nove!

Pôs na voz um tom de quem fazia uma declaração de amor:

— Ai, eu gostaria de contar minha vida. Sabe como? Debaixo duma gameleira, enorme, com uma boa vitrola, tocando ao lado uma ópera bem profunda. Ah, suspirava — assim é que eu gostaria de contar a minha vida!... Em volta, um barril de chope, um barril de cachaça, meu Deus!...

Mas de repente ficou agitado: Roubar? — espalmou a mão enorme no peito — puxa! deu um solavanco. Compreende, não é? foi o Lloyd que deu jeito na coisa, sabe, era brasileiro. Sing-Sing... — e arrancou para sumir. Arrancou, mas voltou: Olhe, ladrão é rico! homem sério não vale neste mundo. Ladrão, meu filho, ladrão! E sumiu para sempre com suas favas cheirosas. No fundo da rua, entre os homens, ainda o vi um instante — atracando um homem.

1952

A maior inimigazinha do homem era dessas que merecem confete dourado, mesmo depois do carnaval. Por um nadinha seria loura, é que a mão não fora muito precisa na dose da tintura capilar e, se o cabeleireiro tivesse cortado um milímetro a mais, teríamos a cabeça de um efebo como está na moda agora. Com mais dez gramas seria gorda, mas com as que tinha seu talhe poderia ser incluído vantajosamente entre os caules mais gracis da botânica citadina. E os dentes, ah! os dentes eram como pérolas esparsas, gotas sólidas de leite, pingos de alabastro, baguinhos de milho branco ou quantas mil outras comparações, poéticas ou triviais, de que seja capaz o ingente engenho humano, sempre presto a comparar.

Esperava o ônibus e o ponto de parada passou a ter a alegria e o perfume de um jardim. Porque puras eram as cores do vestido, do bolero, do cinto, da bolsa, da sandália aberta. Porque emanava perfume, não perfume francês de vidro caro, mas perfume verdadeiro, perfume de coisa nova e fresca, de broto, de aurora surgindo trêmula por trás dos montes.

Conquistador nato e irresistível, executei três sedutores passos de tango para estacar junto dela à sombra da mesma desfolhada amendoeira. O sol tinia. O mar parecia mais mar de tão azul e os trabalhadores, entre nus e esfarrapados, afundavam na inocente calçada imensos canos de cimento que levarão água para Copacabana, no dia sempre esperado em que houver água.

E os ônibus passavam e, embora com lugares, ela não embarcava. E como não embarcava, eis-me que continuo mal protegido pelos braços da árvore, mas capitalizando tempo para entrar em intimidade.

— Esse diabo está custando, hoje! — comecei quando já capitalizara bastante.

O peixinho caiu na rede do pescador:

— São atrozes esses ônibus 9!. . .

— São de pôr a gente de cabelos brancos — reforcei como se não tivesse nenhum.

Automaticamente ela pousou os olhos de esperança nos meus cabelos, cujo corte militar camufla, da maneira mais decente e marcial possível, o avanço aliás nada prematuro das cãs e, ao dar com elas à altura das têmporas, como que se sentiu diante de um cavalheiro de respeito, de um cavalheiro direito, de um cavalheiro no qual podia confiar. E, levada pela confiança, perguntou:

— O senhor também está esperando o 9?

— Exatamente, senhorita — menti com a maior sinceridade.

E como os olhos dela se acendessem de repente num brilho de contentamento, senti que vinha o 9. E o 9 parou. Fora primorosamente azul e branco há uns seis meses passados, quando saíra dum armazém do cais do porto para a linha Mourisco-Praça da Harmonia. Mas seis meses é quase um século na vida de um ônibus carioca e os arranhões, as batidas, as mossas imensas, o sujo do pó do piche, da graxa, os vidros rachados e sujos, faziam dele uma bem triste carruagem. Mas que carruagem podemos nós ter o desplante de achar triste quando vamos tomá-la em companhia de uma moça bonita?

Tomamo-la. Eu e ela, que já me confessara que se chamava Eronilde e ia visitar a tia, que fora operada no Hospital dos Servidores. Os fados são sutis e imperscrutáveis — havia dois lugares, apenasmente dois, no mesmo banco.

Manda a distinção que se ofereça a janela às damas. Como princesa que sabe dos seus direitos, ela aceitou. Era um lugar de sol e os raios que vinham de trilhões e trilhões de léguas não morriam ao pousar nos seus cabelos; confundiam-se com eles e deles recebiam um calor que o sol nunca terá.

Não se pode dizer tudo de uma vez e cabe no momento, só neste momento, assinalar que o bolero de linho não tem mangas e, na nudez do braço que contemplo, desenham-se lustrosas marcas de vacinas.

— De que foi operada sua tia, senhorinha?

— Da vesícula, senhor. Tinha pedras. Sofria horrivelmente!

— É uma operação bastante melindrosa — disse com a mais hipócrita imbecilidade.

— Bem, atualmente parece que é uma coisa corriqueira, tão banal quanto uma apendicite — retrucou com o ar de quem está bastante informada das conquistas da cirurgia. — Dentro de oito dias já voltará para casa, foi o que disse o médico.

— Mas quando ela foi operada? — inquiri demonstrando o mais científico interesse.

— Há três dias. Mas correu tudo normalmente, embora a vesícula estivesse totalmente obstruída. Imagine o senhor que tinha cento e quatorze pedras.

— Quantas?! — e caprichei na fisionomia espantada, como se ela me desvendasse o segredo da pedra filosofal.

Houve um indisfarçável sentimento de orgulho:

— Cento e quatorze. — Mas como a modéstia, ou melhor, a veracidade era positivamente uma das prendas do seu caráter, apressou-se a ajuntar: — Também há algumas pedras que só são chamadas de pedras pelos médicos. São pequeninas como grãos de areia.

— Mesmo assim é extraordinário!

O edificante diálogo, porém, foi interrompido por uma freada brutal que atirou os passageiros uns contra os outros. E quando nos reanimamos do susto, que foi coletivo, com gritos de senhoras esparsas, a sua pequenina mão macia e bem cuidada estava presa na minha.

Mas, ao dar conta do seu gesto inconsciente de susto, foi vítima daquele descontrole sangüíneo que incandesce as faces e que os sujeitos graves chamam de pudor.

— Oh, perdoe! — apressou-se a dizer, escapando com a mão. — Foi um susto horrível.

— Felizmente foi só um susto, senhorinha e já passou.

O ônibus continuava feliz, em precipitadas curvas, como se nada houvera acontecido — os transeuntes que saíssem da frente. Mas como não há mal que sempre dure, ei-lo que surge, nas suas linhas de mau gosto, no seu melancólico revestimento de pó de pedra, o Hospital dos Servidores.

Descemos. Ela para ver a tia, eu para acompanhá-la, pois já nos sentíamos íntimos. As flores do magro jardim — eram poucas — dobraram-se invisivelmente para saudá-la. Aventuramo-nos no movimentado e escorregadio saguão, dirigimo-nos para o guichê de informações. Eram quarenta ou cinqüenta pessoas que se informavam e somente dois funcionários, ora irritados, ora displicentes, estavam para atendê-las.

Quarenta minutos depois Eronilde estava atendida e a preciosa mãozinha apertava, como tesouro inestimável, o cartão cor-de-rosa que lhe dava direito, durante vinte minutos, a ver a tia que já não tinha mais vesícula.

Os elevadores não funcionavam, mas uma sobrinha amorosa e de dezoito anos não teme as escadas de um hospital, tanto mais que a sorte alojara a sua querida parenta no quarto andar. Disfarcei como pude o cansaço da escalada pelas escadas sujas, pelo tráfego intenso da enfermagem.

A secretária do andar foi gentil, embora não tão americanizada como todo o padrão do hospital. Recebeu o cartão e perguntou:

— Sabe o número do quarto?

Eronilde sabia, pois já lá estivera uma vez. Pediu-me que a esperasse, porquanto não se demoraria muito. E realmente demorou menos do que consentia o cartão cor-de-rosa.

Os elevadores continuavam enguiçados. Médicos, enfermeiras, serventes e visitantes esbofavam-se pelos degraus. Como para baixo todos os santos ajudam, portei-me dignamente, embora que entre o segundo e o primeiro andar fizesse uma estratégica parada.

— Sua tia está passando bem?

— Felizmente está, mas está um pouco rabugenta. Queixou-se muito da comida e o senhor sabe que é uma injustiça, pois a comida do hospital é maravilhosa. Quanto a pequenas faltas, como pão, manteiga e leite, são faltas que podem acontecer em qualquer hospital nos dias que correm. E só a rabugice mesmo de um doente pode mencioná-las com acrimônia. Não lhe parece?

— Você é um anjo, Eronilde! — limitei-me a dizer.

1953

Havia chovido, um repentino aguaceiro de verão, os beirais pingavam lentas, espaçadas gotas, as poças faziam os transeuntes dar saltos e soltar pragas, mas o calor persistia intenso, provocando mais pragas ainda.

Ela espiava para um lado e para o outro, esperando, impaciente, o pescoço moreno e fino saía triste de um decote redondo, sóbrio, quase puritano. Não lhe ficava bem aquela roupa, positivamente não ficava, era uma mulher que precisava de cores, de sol, de carne à mostra. Mas estava de preto e molhada. E isso deixava-a sem moldura e desamparada.

Quando ele chegou, porém, ela ficou subitamente nova e forte:

— Olá!

— Olá, meu bem!

— Que chuva, hem!

— Que chuva!

Houve um beijo rápido na face, tomou-lhe a mão, sorriu-lhe, ela respondeu com outro sorriso, e foram caminhando de braço dado com uma graça de namorados do passado, uma graça que parecia extinta. No ponto do bonde pararam, sempre muito juntos, calados. E aí a chuva voltou forte, bem mais forte, e nenhum dos dois tinha guarda-chuva, como se um guarda-chuva parecesse deslocado cobrindo aquela felicidade.

Ponto de parada de bonde, na cidade, às seis horas da tarde, constitui lugar de trancos, repelões, empurrões, pisadelas, safanões, numa completa e perfeita demonstração do nosso estranho mundo de competições. Quem vai lá, ou é naturalmente dado a disputas, ou terá que compreender e praticá-las para não ser passado para trás. Quem não empurra com deliberação e energia não conseguirá tomar o bonde, muito menos sentar-se nele.

O ditoso casal não se importava absolutamente com os circunstantes que se sucediam, como se em outro mundo vivesse. Continuava estático, sentindo a presença um do outro, mãos embrulhadas, corpos colados, poucas palavras, embevecidos.

Transcorrido algum tempo, e o jornaleiro oferecera-lhes inutilmente a sua mercadoria, fizeram uma tentativa de tomar a condução. Houve uma correria, ele conseguiu defendê-la, na refrega, sem nenhum esforço ostensivo, pelo simples fato de ser grande, ter braços fortes e ombros largos.

Depois, tentaram nova investida. Não havia, porém, lugar para ambos no mesmo banco. Entreolharam-se e desistiram, enquanto a mulher com tantos embrulhos, gorda, terrível, furiosa, ocupou o lugar, empurrando agressivamente a vizinha. Uns dez minutos após veio outro bonde da mesma linha e a cena repetiu-se com a vitória de um senhor de pasta e sem gravata. E repetiu-se ainda algumas vezes, enquanto nos intervalos eles se olhavam cada vez mais dentro dos olhos e ficavam cada vez mais perto um do outro, como se formassem uma única pessoa.

O vestido dela estava encharcado, pegado ao corpo, denunciando formas recônditas; do cabelo dele a água escorria, deslizava pelo pescoço, entrava pelo colarinho que mais mole se tornava. Ao fim de uma hora, apareceu um bonde vazio. Devia ser de uma linha estranha, nova, levando a um bairro onde ainda pouca gente morava. Ela disse qualquer coisa, ele respondeu:

— Mas, amor, esse não serve.

A moça apertou-lhe o braço, falou baixinho, e quem poderia ouvir? Tomaram o veículo, sentaram-se juntos num aconchego sereno e lá se foram, enquanto alguns circunstantes mais atentos ficaram seriamente meditando nas possíveis vantagens de se tomar um bonde errado.

A ÁRVORE

O sol é grande. Zinem as
cigarras em laranjeiras
MANUEL BANDEIRA

Assentada na base do morrote que a Rua Alice serpenteando escala até se enfiar como gigantesca cobra cinzenta e mansa no túnel do Rio Comprido, a casa azul, daquele inocente azul, bastante vivo, de que tanto gostavam os mestres-de-obra de antanho, a casa azul — doçura, harmonia e acaçapamento — com seu covo e musgoso telhado, suas pinhas de louça portuguesa e seu alpendre de ferro fundido, os degraus um pouco gastos e algumas bolas de vidro pendidas quais estranhos frutos, remanescências do que já constituíra sensacional decoração ao tempo dos seus primeiros e finados moradores, a casa azul tinha quatro janelas de guilhotina para o vale das Laranjeiras, sem vestígios dos laranjais que lhe deram o nome, vale por onde suavemente se espraiava o bairro de aristocrático tom, infiltrado no arvoredo de mil verdes diversos e inesperados e cada dia mais eriçado por antenas de televisão que lembravam armações de sombrinhas, quatro janelas como quatro olhos retangulares, que não se fechavam nem noite alta, atentos à lua, ao cantar dos galos, ao ladrar dos cães, ao roncar dos motores no Aeroporto, que as horas silentes aproximavam, e aos encompridados apitos dos vagos vigilantes, de boné amassado, cujos passos repercutiam tão pouco policialmente no silêncio noturno, que é o império dos grilos, mas que precavidamente emudeciam ao abrigo de uma soleira providencial, nas noites de chuva, aliás mais freqüentes na zona que na maioria dos pontos da cidade.

Viam muito esses olhos indormidos — as nobres e altivas palmeiras ao lado, em linha dupla, idosas de terem conhecido o Imperador na sua berlinda bojuda, pintada de verde e amarelo, as galhudas mangueiras, no âmago das quais brincam os micos em guinchos e cabriolas, as imensas figueiras de retorcidas raízes poderosas que derrubavam muros e levantavam as pedras das calçadas, as paineiras, as cássias, os mulungus, os ipês, as quaresmeiras com o roxo encantado da sua floração, o Rio das Caboclas, também chamado Carioca, corrente minguada e poluída, que já não comportava lavadeiras, como é da crônica, sumindo de repente sob a pavimentação da rua, a Bica da Rainha, onde as rainhas, loucas ou sensatas, não vêm mais beber da pura água ferruginosa, famosa antigamente por virtudes medicinais, muito especialmente para a pobreza do sangue. Viam o penhasco de Dona Marta, dama de quem não se sabe muito a vida, exceto que foi rica proprietária e benfeitora da Misericórdia, cocuruto que de uma banda é pedra a pique, de outra relvoso declive escorrendo para a distinguida Rua São Clemente, o umbroso e úmido Silvestre com os seus recantos idílicos, suas estradas limosas, seu cheiro ácido de clorofila, sua vetusta caixa-d'água marcada por singular tristeza, e no qual infelizmente a favelazinha ganha corpo devastando a mataria e provocando incêndios estivais, logo apagados pelos Bombeiros que se anunciam com alarmante sirene, que faz tremer o pacífico bairro todo, como o fazem tremer os aviões em baixo vôo. Viam o trenzinho de cremalheira a subir o Corcovado, com o Cristo de braços abertos no topo, viam o celibatário Gastão Cruls, o chapelão demodê, a infalível piteira em riste, o semblante carrancudo, o andar apressado, o aspecto de ave pernalta, dando uma prosa com Américo Facó ou Dante Milano, vizinhos e fraternais amigos — dois Poetas, poetas! Viam Cornélio Pena, enquanto pôde, passeando ao sol com passos trôpegos, firmando-se no braço da esposa dedicada e na mão invisível do Salvador, que o empolgou, afinal, para tê-lo eternamente junto ao seu seio amantíssimo. Viam o sertanejo Austregésilo de Athayde, com olho d'água nos fundos da invejável casa, prateada cabeleira ao léu, sandália cangaceira, ginasta em marcha matinal e algo ascética para se conservar em forma ou organista doméstico para tranqüilizar a alma inquieta, viam o Professor Silva Melo, que tem as janelas da insigne biblioteca dando para o Largo do Boticário, recanto grã-fino e muito fotografado, e viam o Morro da Graça com a sua graça infinda, reconhecida até pelo frio caudilho Pinheiro Machado, que instalou nele a sua morada por largo tempo, a Meca dos políticos, romaria que teve fim quando uma punhalada o prostrou. Viam as sinuosas ladeiras do Ascurra e do Cerro Corá, que perpetuavam heróicos episódios guerreiros, grimpando o Morro do Inglês, viam a Rua Smith de Vasconcelos, a meio da qual a castelã Cecília Meireles tem o seu torreão de Poesia, viam a poetisa Ana Amélia, na sua mansão de rendadas sacadas, que é um museu, viam os altos do Pão de Açúcar, só os altos, e o travesso bondinho quando chegava lá em cima, gostariam de ver o mar, como gostariam! ao menos por uma nesga de vez em vez cortada por uma enfunada vela branca, de pescaria ou de esporte, mas contentavam-se com o vôo distante planante das gaivotas, que lhes traziam uma idéia não muito nítida de peixe e de mar. Viam o fragoroso bonde ranger na curva do Cosme Velho, prolongamento feito de antigas chácaras e que foi anexado tácita e naturalmente ao bairro, as meninas do Sion, diferenciadas por coloridos cordões na cintura, as conversações em gesto dos alunos do Instituto de Surdos-Mudos, que é um prédio com pretensões à imponência, a algazarrante garotada da Escola Rodrigues Alves, ex-solar dos perdulários Haritoffs, autêntico palácio sombreado por espessas árvores, de imensos salões rica e finamente decorados com o melhor gosto parisiense da época, o principal forrado de reps cor de vinho e ornado com painéis de seda azul, bordados pela mais esquisita imaginação chinesa, como escreve um comentarista, as janelas guarnecidas de cortinas de cetim azul-celeste, as portas com pesados reposteiros de veludo grená, salões onde se reunia, nos derradeiros anos da monarquia e nos primeiros republicanos, a flor da sociedade carioca em recepções e bailes de inesquecível grandiosidade, requinte e fidalguia — ó flautas! ó violinos! ó requintas! em valsas, mazurcas e quadrilhas esquecidas — reuniões que os cronistas sociais não se cansavam de exaltar com a pena da admiração ou da lisonja — ó casacas! ó decotes! ó adereços e penteados gentis! debandando entre risos e suspiros nas carruagens, que pacientemente os aguardavam, quando a aurora, com seus dedos róseos, já brandamente se insinuava no bucolismo do vale.

Viam as passeatas dos Canarinhos nos prelúdios do carnaval, vozes e instrumentos que ficavam vibrando nos peitos sensíveis muito depois da sua passagem nas sombras da noite, os padeiros empurrando carrocinhas na madrugada, os namoros de gargarejo e de portão, com tão quentes e apaixonadas promessas, além dos beijos, e viam, com inequívoco desprezo, as lentas obras da basílica de São Judas Tadeu, redonda como bolo de má confeitaria, blasfêmia arquitetônica contra Deus, em sentido lato, e contra o mártir da Mesopotâmia em particular, que profetizava para os blasfemos uma tempestade de trevas por toda a eternidade.

Isso o que viam, se não quisermos ser prolixos. Já viram, porém, mais coisas, muitas, muitas, olhos antigos que eram como certas ruas, casas e pernas que mereciam a exclamação machadiana, pela boca de Dom Casmurro, quando este transitava pela Rua Nova da Princesa, um dos elos do Catete com o mar, levando a pecadora e capitosa Capitu no coração. Viram o próprio e ático Machado de Assis, pontualmente esperando o bondinho que o levaria à federal repartição, onde esmerava-se nos memorandos, não raro afagando os cabelos de alguma criança vizinha — o menino Alceu, por exemplo — com a calada e retraída ternura dos que não têm filhos, e voltando ao crepúsculo, o pincenê perscrutador, os lábios pronunciados, a barbicha grisalha, livros debaixo do braço, às vezes mais cedo, combalido e desgraçado no fundo de um tílburi, de conhecido e discreto cocheiro, para o modesto chalé donde saiu para sempre dois anos depois da sua amada Carolina, chalé que teve placa comemorativa da notável residência e que mais tarde se encarregaram de demolir sob pretexto urbanístico, pois há sempre pretextos para os vandalismos e as ingratidões. Viram Pereira Passos, erecto, sisudo, senhoril, barba branca, colete branco, guarda-sol branco, vistoriar obras públicas, ele que revolucionou a cidade marcada ainda por um deplorável ranço colonial, e idealizou, com Teixeira Soares, a Estrada de Ferro Corcovado, a primeira construída no Brasil para fins exclusivamente turísticos, ou higienicamente fazer o quilo vesperal, morador que era da Rua das Laranjeiras, com palacete perto do Largo do Machado, que resistiu valentemente a todos os nomes que lhe punham e que sempre foi o coração comercial do bairro. Viram Portinari, com a sua carinha de anjo barroco, inspecionar o seu íngreme quintal em platôs, no qual insistia em fazer vicejar uma horta, ou vir trazer, gesticulando nervosamente, o grosso cigarro pendurado no canto da boca, o calmo amigo Santa Rosa até o portão de ferro, vedado por folhas de zinco. Viram os alunos do famoso colégio do Barão de Macaúbas, situado na Rua Ipiranga, casarão depois transformado em asilo, e que Raul Pompéia retratou imortalmente no *Ateneu.* Viram, lá pelas cercanias do Palácio Guanabara, em canhestros chutes, elevar-se no pálido anil da tarde cristalina a primeira bola de futebol, desporto importado e que redundaria em paixão avassaladora dos cariocas e dos brasileiros, viram a exaltação do primeiro Campeonato Sul-Americano conquistado no estádio do Fluminense, viram o Flamengo mudar seu campo da Rua Paissandu para a Gávea, como viram nas escadarias daquele palácio, com tão belo parque e em cuja amplidão a Princesa Isabel e o Conde D'Eu fizeram a sua inicial vidinha de casados, com freqüentes saraus de música e dança, muito mais música do que dança, o Presidente Getúlio Vargas defender-se de revólver na mão, contra o assalto dos integralistas. Viram Coelho Neto, miúdo, vibrando, modelo de escritor profissional, infatigável escrevendo dia e noite na casa da Rua do Roso, que também derrubaram, viram os serões na casa de Francisco Otaviano, na Rua Cosme Velho, onde faleceu — e quiseram homenagear o ilustre morto, dando seu nome ao logradouro, coisa que não pegou — serões nos quais se falava de livros, de coisas do espírito, poesia, filosofia, história ou da vida de nossa terra, entremeando a tertúlia com anedotas e recordações pessoais, viram o enterro de um outro jornalista — Ferreira de Araújo — que não teve igual em acompanhamento e coroas, e viram as orgulhosas chaminés da fábrica Aliança, a maior do país no século passado, e o espremido casario em volta, onde se abrigavam mil famílias tecelãs, tombarem para dar lugar a um novo arruamento — pequeno bairro dentro do bairro — mais lucrativo do que os panos que fabricava.

Viram, viram muito, agudos, atentos, sensíveis, mas jamais bisbilhoteiros, jamais. Um dia, porém, eles se cerraram, não vítimas de nenhum mal oftálmico, e salvo o vizinho fronteiro, que era míope e devotado amante de livros, ninguém lamentou a falta deles, ninguém! e foi até como se nem tivessem existido, e existido uma longa vida de vidraças abaixadas ou suspensas, embora por tantos anos — tal é a falaz memória dos homens das grandes cidades, cujo evolver é incessante, desordenado e às vezes cego — tivessem servido de referência topográfica:

— É um pouco antes da casa azul — informava um.

— Fica mais ou menos na altura da casa azul — informava outro.

— O senhor sabe onde fica a casa azul, não sabe? Pois a rua que o senhor procura é a primeira depois dela, quem vai para a Estação do Corcovado — informava um terceiro.

Aconteceu que o elegante corretor de imóveis, elegante, simpático, de boa conversa, cumpridor irreprochável de todas as etiquetas mundanas, que vivia farejando lucros, somou bem somado com a sua prática profissional, amplamente reconhecida e honrada, todavia assaz desalmada, o desperdício daqueles cem metros rasos de terreno que a casa azul tinha pela frente, até a rua, jardim que fora belo outrora, com caminhos de fino saibro, com repuxo de conchas, cacos de louça e pedras roliças misturadas na argamassa, o caramanchão coberto de jasmins, os hibiscos escarlates, os brincos-de-princesa, as cristas-de-galo, as alamandas, os lençóis de margaridas, os tapetes de crotons, e os cheirosos manacás, as rosas, cravos e cravinas, os canteiros de amores-perfeitos, que eram a flor predileta dos namorados, jardim que ficara reduzido pelo abandono a um melancólico destroço floral, no qual até lixo da vizinhança descaradamente se jogava. E, de copo de uísque na mão, habilmente atacou os beneficiários do espólio, gente que se bandeara, dividida, para Copacabana, não suportando aquele viver semi-urbano e semi-silvestre, numa casa cheirando a mofo, com os encanamentos todos vazando e deploráveis instalações sanitárias, só se sentindo bem, e realizada, no burburinho, congestionamento e promiscuidade do bairro praiano, que tinha uma nova batida de vida, com as tentadoras atrações do mundanismo e da futilidade e todo um inumerável comércio à porta dos apartamentos.

— Que pretendem fazer da casa azul?

Na verdade não sabiam, estavam para decidir...

— Mas não poderão postergar indefinidamente a decisão. Abandonada no jeito que vai, acabará virando cabeça-de-porco, como tantas outras por aí.

Todos estavam concordes. E ele, matreiro:

— Reformar a velha casa patriarcal seria ótimo, teria um sentido alta e generosamente sentimental, teria, mas convenhamos que não seria brincadeira! Não! nem por sombra! Tem que ser uma reforma em regra. Ela está caindo aos pedaços e os tempos estão bicudos!

Era o que intimamente pensava o único saudosista da família, sem possibilidades nem coragem para fazê-lo, melancolicamente remexendo o gelo com o dedo.

Há argumentos decisivos:

— Ou será que não querem ganhar dinheiro?

Era precisamente o que queriam todos, inclusive o saudosista, que vivia um tanto liricamente na base da mordedura e do empréstimo. E aderiram:

— Se você se encarrega de encontrar uma solução vantajosa...

— Não será doutra forma, podem ficar sossegados. E muito agradeço a confiança. Deixem a coisa comigo. Não é outro meu trabalho nesta vida.

E o negócio, rapidamente entabulado, mais rapidamente se efetuou. A companhia incorporadora mandou expeditos engenheiros e arquitetos, que mediram, remediram, calcularam e prepararam a planta do edifício de apartamentos, dez andares em que o terreno era aproveitado ao máximo, e que a Prefeitura imediatamente aprovou. Houve anúncios de meia página nos jornais, suspenderam uma grande tabuleta no local com convidativos dizeres, e mãos à obra! Vieram as impiedosas picaretas demolidoras, vieram os pesados caminhões para conduzir aquele entulho venerável — havia uma grade de varanda maravilhosa! havia os azulejos da copa e a pia da sala de jantar, que eram um sonho! havia uma banheira de mármore italiano, com pés de garra, que era de endoudecer! — e lá se foram os quatro olhos retangulares, olhos da casa azul, casa com vastas salas, uma alcova com clarabóia, esquadrias de vinhático e cabiúna, assoalho de pinho-de-riga, e quatro metros de pé-direito! Vieram as escavadeiras, as betoneiras, as serras mecânicas, que atormentavam os ouvidos e nervos circunvizinhos com seu uivo metálico e prolongado, veio uma legião de operários, a mor parte dos quais, nordestinos, dormia na obra em redes multicores armadas por entre os andaimes, as lajes de concreto foram subindo cada mês e em três anos estava pronto o edifício, com um excesso de vidro e de pastilhas cor de chocolate na fachada, que recebeu os moradores orgulhosos da novidade e da paisagem, e do jardim somente restaram duas paineiras, mais barriguda uma, mais empinada outra, espinhentas ambas, cuja volátil paina ia propiciar aos médicos muitas rendosas alergias nas redondezas e que serviram, principalmente, para batizar o prédio — Edifício Duas Paineiras. Para decoro, na diminuta metragem reservada ao ajardinamento foram feitos dois canteiros assimétricos com folhagens ornamentais, e um terceiro, mais estreito e comprido, que acompanhava o edifício na extensão de um dos seus lados e que terminava junto à granítica amurada, aproveitamento da primitiva, obra máscula de braços escravos, que suportava o escorregadio barro do morrote, canteiro que não mereceu mais do que modesta grama, muito sacrificada pelos pés nem sempre inocentes da criançada condominal.

Os apartamentos variavam de preço — financiados a longo prazo, em suaves prestações pela tabela Price —

conforme o andar e o tipo, e havia três tipos alfabeticamente designados pelos dinâmicos incorporadores: A, B e C. Os mais baratos eram os do pavimento térreo, tipo C, é óbvio, e dois deles, de fundos, paralelos ao aludido canteiro, cada um com uma varandinha ao rés-do-chão, com espaço justo para uma mesinha redonda e duas cadeiras, e facilmente utilizável pelos pula-ventanas, ocupados foram pelos respectivos proprietários logo a seguir ao "habite-se", cuja demora de quase um mês nos complicados guichês municipais afligiu-os sobremodo, ansiosos que estavam para desfrutá-los, livrando-se de aluguéis, de senhorios e da Lei do Inquilinato, que é arma de dois gumes.

Um dos proprietários, magro e giboso, era postalista aposentado, mas não podendo se dar ao luxo de gozar todas as horas da aposentadoria com os parcos cruzeiros que recebia dos cofres da União, como jamais pudera se agüentar com o que percebia na atividade postal, dedicava-se ao biscate de escritas avulsas de modestas firmas — botequins, varejos, pequenas oficinas — trazendo pletórico papelório para debulhar a domicílio, escrituração que um companheiro, contador diplomado, assinava mediante razoável comissão; Ananias Pinheiro se chamava e só tinha uma filha, casada muito jovem e moradora em Niterói para onde se abalavam, ele e a mulher, via de regra, uma vez por semana para ver os netos. O outro, Ardogênio Ferreira, sangüíneo e retaco, sócio e gerente era duma loja de tintas na Cidade Nova e tinha dois filhos, rapazolas troncudos como o pai, pouco encontradiços em casa, que faziam sem muita convicção e resultados o curso colegial e que empenhavam todo o ardor vital em torcer pelo Flamengo, com aquele fanatismo que caracteriza os aficcionados rubro-negros.

As mudanças foram feitas no mesmo dia, uma sexta-feira, dia criteriosamente escolhido, quando seriam aproveitados o sábado e o domingo para colocar as coisas todas logo nos eixos, com a tradicional confusão dos lusos carregadores, que não se fartaram de trocar objetos dos dois apartamentos.

— Ê, Seu Manuel! esta cadeira é minha — protestava Ardogênio.

— Ai, ié?! — admirava-se o brutamontes com candura.

— São de morte! — ria Seu Ananias.

Evidenciou-se a incapacidade do débil aposentado em prestar auxílio na arrumação dos trastes, tarefa que Dona Matilde ia comandando com mais eficiência, enquanto o vigor de Ardogênio substancialmente se manifestou, esvaziando caixotes, enchendo prateleiras, empilhando pacotes, arrastando móveis, experimentando várias posições deles até acertar com o local mais adequado, e, muito solícito, dando uma mãozinha às dificuldades do vizinho, quando os carregadores, com os caminhões vazios, consideraram terminado seu serviço.

Ficaram amigos. Seu Ananias conseguiu, por milagre de um compadre, funcionário da Telefônica, que seu aparelho fosse transferido em uma semana! — e durante meio ano colocou-o à disposição do vizinho com toda a solicitude. Espichando o pescoço, chamava da varandinha, que era contígua à outra e, de resvés, dava para ver os patinhos de louça, em fila indiana, pregados na parede:

— Dona Maria do Carmo, ó Dona Maria do Carmo!

Ela punha de fora a cabeça cheia de rolozinhos de plástico, o artifício doméstico e econômico para ondular os cabelos:

— Eu!...

— Seu Ardogênio mandou avisar que irá chegar mais tarde. Tem que ir a Olaria.

— Já sei. Vai ver o Lemos. Vou despachar a janta dos meninos. Muito obrigada pela maçada, Seu Ananias.

— Que maçada nenhuma, Dona Maria do Carmo!

Doutras feitas era chamada para o próprio Ardogênio, que vinha atender de blusão e chinelos:

— Dá licença?...

— Que licença! vai entrando, a casa é sua. — E suspendendo a colher de sopa, que sem sopa Seu Ananias não passava: — Está servido?

— Bom apetite! — e se pendurava no aparelho, ora discutindo com o Lemos, que era sócio dele e andava acamado — um ameaço de enfarte — ora insistindo com um dos vendedores da firma para não perder o contato com determinado empreiteiro.

Foi numa dessas que Seu Ardogênio constatou o precário estado do armário de cozinha do novo amigo, trouxe uma lata de superior esmalte branco e ele próprio, com experiente trincha, em apurada tarefa dominical, deixou o manchado e escalavrado movelzinho praticamente como se tivesse vindo da loja. Dona Matilde, mais destra em culinária, mimoseou Dona Maria do Carmo com um pão-de-ló e a competente receita, pão-de-ló sem manteiga, vejam só, verdadeiramente delicioso! Dona Maria do Carmo, mais dedicada às artes da agulha, retribuiu a delicadeza com uns panos de prato bordados, em ponto de haste, com espantadas carinhas de gato, lavor que foi muitíssimo apreciado.

Ficaram amigos, repita-se, a daí muita conversa, ora numa varandinha, ora noutra, de preferência depois dos programas humorísticos de televisão, que imensamente divertiam o comerciante — não sei onde esses diabos vão buscar tanta coisa engraçada! — e antes que Ananias se entregasse a completar o que de dia começara ou dera andamento no campo da contabilidade.

Ardogênio, que não passara do quarto ano primário, uma escola pública da Rua Barão do Bom Retiro, começara a trabalhar cedo, nem buço tinha, cedo e por baixo, caixeiro-vassoura numa loja de ferragens da Rua dos Ourives, muito afreguesada no interior, mas muito afreguesada mesmo!

— Hoje é uma sopa, compadre! Com horários, férias, semana inglesa, aposentadorias, uma série de regalias, justíssimas cá pra nós! Quando comecei, não tinha disso não, era puxado, das sete da manhã às sete da noite, ali no duro, e a gente nem sabe como é que as pernas agüentavam! Quem diz que chegava um minuto atrasado? Quem diz que saía antes das sete da noite, fosse inverno ou verão, fizesse chuva ou bom tempo? E quantos feriados passei eu até às cinco da tarde, conferindo e botando preço em mercadorias, empacotando-as, balanceando as prateleiras, dando cabo das baratas cascudas, que eram uma nojeira! acondicionando caixotes de fregueses, quantos! Se fosse contar, perdia a conta... Quinze anos andara naquele dobadoura, os últimos beneficiados por umas leis trabalhistas que caíram do céu, até que conseguiram crédito, ele e o Lemos, que fora por igual tempo seu companheiro de solanca, e abriram uma casa de tintas, artigo de que tinham tarimba, primeiro na Rua Machado Coelho, casinha duma porta só, depois progredindo, no Estácio, mais ampliada e sortida, com uma clientela de melhor quilate.

Também por baixo principiara Ananias — que tivera mais estudo, roçara bancos ginasianos — como auxiliar de escritório de um despachante aduaneiro, onde criara gosto e prática pelos mistérios do Deve e do Haver, até que um deputado, cabra gozado, muito femeeiro mas muito boa-praça, metera-o, com um simples cartão de apresentação para o Ministro, nos Correios e Telégrafos, na condição de terceiro escriturário, onde foi galgando postos, por antigüidade e merecimento, até a aposentadoria, com trinta e cinco anos daquilo nos costados.

— Não precisou vir a filha para ver que daquele atoleiro não tirava um sustento decente. E ainda noivo, me agarrei ao que sabia, aproveitando as horas vagas, e comecei minha faina de escrita. Ah, se não fossem elas, estaria frito!

— Você, Seu Ananias, foi feliz com a filha.

— É. Graças a Deus, sempre foi menina ajuizada, está casada direitinho, o marido é muito trabalhador, dentista, o senhor já sabe.

— Sei. — E Ardogênio tirou um suspiro do peito: — Os meus meninos é que parecem não tomar jeito. Não querem estudar, vivem repetindo ano e é um dinheirão de colégio! O que não tive, quis dar a eles e eles não dão importância. Nenhuma! E se não estudam, também em trabalhar não falam, no entanto sabem que teriam um lugar garantido lá no negócio, que afinal é deles mesmo. Mas não piam. . .

— Qual, são bons rapazes. A mocidade costuma ser assim, depois toma jeito.

— Bem, mal-educados não são. Mas são duma moleza que me exaspera. Nunca fui assim. Veja como ainda dou duro!

— Então não sei?!

— Acho que é por causa da mãe, que passa muito a mão pela cabeça deles.

— Deixa passar! Coração de mãe não se engana.

— Bem fez o senhor hoje que não saiu de casa, Seu Ananias. (Foi princípio de outra conversa.) Deu-se um engarrafamento ali na Rua Alice e o tráfego ficou atravancado até o Largo do Machado. Foi um caro custo para chegar aqui. Desci do ônibus e vim gramando nos calcantes, do contrário acho que até agora não tinha chegado.

— A rua é estreita e esses lotações não respeitam a mão. Vão metendo a cara! Então, a toda hora, estão dando essas confusões.

— Falta de policiamento...

— Falta de tudo! Este país não toma jeito, não. Sem ordem e sem administração. Não adianta votar, perder tempo, se aborrecer e se decepcionar. É tudo uma corja só, uma cambada de vigaristas!

— Está melhorando, amigo, está melhorando, que é que há?... Apesar dos políticos, é lógico. Mas enquanto eles dormem, ou comem o seu milho, o Brasil caminha... No meu ramo, por exemplo, eu vejo que está progredindo, e ninguém pode negar. Antigamente era tudo artigo estrangeiro, se é que o freguês não queria porcaria, porque havia uns moambeiros fabricando besteiras por aí. Agora, já temos ótimo material nacional. Mas ótimo mesmo! Igual ou melhor que muito estrangeiro.

— Lá pelo progresso material, não falo. Estamos marchando. É de progresso moral que ele precisa.

— Compreendo, compreendo, Seu Ananias. É preciso decência, senso de responsabilidade, não é?

Lá veio a borboleta azul — e isso foi numa tarde de feriado, luminosa, diáfana — lá veio a borboleta azul, imensa, adejando pesadamente, cortou o ar em ziguezague, afundou-se no mato, onde as rolinhas alinhavam-se no galho mais desfolhado da umburana.

— É linda, não é?

Seu Ardogênio foi levado no arrastão poético:

— Parece uma jóia.

— Estão desaparecendo. No meu tempo de criança, eram aos milhares!

— Ainda são muitas.

— Nem o cheiro do que eram!

— Essa nossa Laranjeiras ainda guarda muita coisa do velho Rio.

Ananias largou num queixume, espichando as pernas magras, vendo através da porta aberta do quarto dos meninos a flâmula flamenga pregada na parede:

— Guarda. Mas dia virá que nada, ou quase nada, restará... Não imagina o que já vi desaparecer! Um monte de coisas!

Nascera e se criara na Rua Marquesa de Santos, dominada pela torre alta e quadrada da Matriz da Glória, cujas missas eram freqüentadíssimas pela elegância católica das cercanias e marcada pela sineta do Patronato de Menores que soava tão fina e tristemente, numa casinha de porta e janela, a última de um correr delas, nas fraldas do Morro de Nova Cintra, onde de pé no chão e atiradeira feita de tiras de pneumático perseguira muito tico-tico e muito camaleão e onde, mais para os lados da pedreira, empinara muito papagaio com rabo tricolor. Depois de casado, e conhecera a mulher numa barulhenta matinê do Cinema Politeama, é que fora para a Rua Dois de Dezembro, e lá ficara anos e anos, até que o proprietário — dono de uma sapataria no Catete, português, baixote e de retorcida bigodeira — arrastado pelo generalizado ímpeto imobiliário, achou por bem derrubá-la para construir um grande prédio; tinham ficado amigos, entraram em entendimentos, recebeu uns cobres sem constrangimento e, como tinha umas economias na Caixa Econômica, pôde enfrentar a compra do apartamento na planta e o senhorio fora bastante camarada, esperando aquele tempão todo:

— Não é a matar, Senhoire Ananias, não é a matar! Sei perfeitamente que o senhoire vai sair e ainda lá estão uns gajos que meteram advogado e me estão futricando a paciência. Comigo não tiram teima! A eles não darei um tostão! Nem que morra! Meti advogado também. Poderão pular que nem cabritos, mas acabarão no olho da rua, sem me levar um níquel!

Já Ardogênio era filho do Andaraí Grande, criara-se nas bordas do antigo Jardim Zoológico, bosque propício às traquinadas, e a adoção das Laranjeiras como domicílio fora mera casualidade — um dos empreiteiros do edifício, pessoa do peito, falara-lhe da obra como sendo verdadeira galinha-morta, dado o local e o acabamento; fora conferir, a patroa gostara do lugar, que lhe parecera muito distinto, muito sossegado, e ele entrara garbosamente na incorporação. Morara antes, e por largo tempo, num sobradinho da Esplanada do Senado, quente como forno no verão, onde tinha a vantagem de ficar perto do trabalho, quando em duas pernadas estava em casa para almoçar; mas tanto o sobradinho estava dando o prego, com infiltrações em tudo quanto era parede — e já tinham até cogitado seriamente de mudança — como a zona estava ficando meio velhaca, a esquina se transformara em ponto de prostitutas, transviados e maconheiros, de sorte que o alvitre do empreiteiro amigo viera mesmo a calhar. Agora sentia-se muito bairrista:

— É um bairro privilegiado este nosso, Seu Ananias. Que noites para dormir! A gente chega cansado e é um regalo se meter na cama. Da Rua Soares Cabral para cá já se pode sentir a diferença de temperatura, pelo menos quatro graus para baixo, quando o calor está feio na cidade. É uma satisfação... Sem falar da água, que não é problema.

Dona Maria do Carmo garantia que melhorara consideravelmente das dores nos ossos e Ardogênio gabava, outrossim, os melhoramentos que estavam realizando na zona, um pouco a passo de cágado:

— Quando ficar pronto o túnel Catumbi-Laranjeiras, em cinco minutos eu estou na loja. É fantástico!

— Ainda demora. Está cheirando a obra de Santa Engrácia.

— Mas acabam terminando, ora!

— Lá isso é.

E foi num bate-papo de domingo, depois do ajantarado — feijoada completa, em que Dona Matilde era consumada — o sol rachando, a escondida cigarra, estrídula, arranhando a atmosfera translúcida, que Ananias, pondo os óculos no canteiro mofino, cuja grama rareava em vários sítios, voltou à idéia:

— Faz falta uma árvore, não faz? Daria sombra, frescura, seria pouso de passarinhos, enfeitaria este corredor de cimento, pois não passa de um corredor de cimento muito do mixuruco, não é verdade?

— Nem mais nem menos — concordou Ardogênio, empanzinado e amolecido pelas batidas de limão, com que prefaciara o feijão. — Mais pelado do que bola de bilhar.

Voltara a idéia, já que fora ela ventilada em sessão do condomínio. A taxa de condomínio era relativa à área ocupada por cada apartamento e a primeira reunião do condomínio, que votara tal obrigatoriedade, criando logo com isso três castas de co-proprietários, havia sido agitada, cada qual querendo tirar brasa para a sua sardinha, contudo sempre chegaram a um acordo nesta e em outras pertinências, exceto na que concerne à melhora do canteiro comprido, árida serventia, para a qual Ananias, tomando a palavra pela ordem, um pouquinho compenetrado, porém com um bom lastro de humildade, pedira um reforço de vegetação, pelo menos idêntico ao que os canteiros da frente mereceram. Sob a alegação de que acarretaria aumento na despesa, o assunto foi repelido pelo síndico em exercício — moço pachola, autoritário, mas inegavelmente esforçado — e aprovado por rasgada maioria que gastava para as votações parciais da matéria em pauta um ar parlamentar um tanto parvo. Ananias, todavia, não perdeu a esperança:

— Bem, mas se nós plantássemos uma árvore? Apenas uma árvore, uma bonita árvore? Uma árvore não dá despesa na conservação, praticamente cresce sozinha.

— O prezado senhor não acha que em Laranjeiras já há árvores demais? — aparteou, com sorriso irônico, o doutorzinho, exibindo elegante camisa esporte de cambraia amarela.

— Eu acho que no Brasil já há árvores de menos — retorquiu.

— São opiniões — respondeu o aparteante, fazendo cara de chateado e manobrando gentilmente o cigarro de filtro.

— Não, doutor... como é a sua graça?

— Albuquerque, Antão Albuquerque.

— Não, Doutor Albuquerque. É fato comprovado e lamentado. Há muitas estatísticas interessantíssimas a respeito. Estima-se em trezentos milhões as árvores que são abatidas anualmente, sem que se replantem nem cinqüenta...

— Nem cinqüenta?! — estranhou o velhote.

— Cinqüenta milhões — corrigiu o postalista.

— Ah!

Albuquerque, então, esmagando a guimba no cinzeiro de propaganda, decidiu levar o companheiro de condomínio na gozação:

— Felicito-o, sinceramente, por seus conhecimentos estatísticos...

Ardogênio, que admirava a falação do vizinho, não gostou e rosnou:

— Acho que vou engrossar...

Ananias sossegou-o, baixinho:

— Tenha calma. Trata-se de um pateta, não vê logo? — E mais alto, para a assembléia: — Haveria inconveniente em se plantar uma árvore? Eu me encarregaria de fazê-lo, sem nenhuma despesa para o condomínio.

Houve algumas manifestações aprovativas, a pretensão caminhava evidentemente para a revisão e a aquiescência geral, quando o doutorzinho, que parecia estar com a corda toda da ironia, pôs o caldo a perder.

— Como é a sua graça?

— Ananias Pinheiro.

— Parece-me, Senhor Pinheiro, que pelo fato de ter árvore no sobrenome, acha que deve botar árvore em todos os lugares.

Houve risos, Ananias empalideceu, Ardogênio não se conteve:

— Olha cá, seu pilantra! — e pôs-se de pé, falando de dedo duro: — O Senhor Ananias, como qualquer um aqui, tem direito a falar, a propor medidas, e o que falar tem que merecer respeito, todo o respeito. Se querem levar a proposta dele para a galhofa, aqui está quem não consente, absolutamente não consente! e ao primeiro pio galhofento, não tenho conversa, saio é no braço!

O doutorzinho repeliu:

— Não seja besta, carroceiro!

— Carroceiro é a mãe! — berrou Ardogênio.

— A sua! — berrou também o outro.

O síndico botou autoridade, batendo na mesa com o lápis:

— Que é isso, senhores? Contenham-se. Não estamos numa taverna!

Ardogênio, porém, não ouviu e, embalado, contraindo o pescoço como boi que vai dar marrada, atirou-se contra o pelintra, sem que Ananias conseguisse detê-lo:

— Vou amassar-lhe as fuças, seu safado!

O tabefe atingiu o doutorzinho, que se levantara, em plena cara, estalando como palmada em bunda de menino; ele, aturdido, tropeçou na cadeira, que tombou com estrondo, levou mais uns trompaços, aí já Ardogênio descarregando pancadas a torto e a direito com o punho fechado; o jornalista do quinto andar, metido a poeta e muito reacionário, querendo intervir, apanhou umas sobras, que desajustaram a sua dentadura, outras cadeiras caíram, lavrou a confusão, a viúva teve um princípio de faniquito:

— Meu Deus! Meu Deus! Acudam!

Quando, afinal, apartaram os contendores, Ardogênio tinha um sangrento lanho na testa, o doutorzinho estava com uns dez na cara e no pescoço e a bela camisa de cambraia sofrera irremediável rasgão.

O coronel da reserva e o velhote conduziram o doutorzinho por um lado, com ademanes de solidariedade acalmando as suas promessas de vindita, Ananias carregou o amigo por outro:

— Que maluquice! Onde estava com a cabeça?

— No lugar de sempre! Esses grã-finos precisam de levar umas porradas de vez em quando para entrar na linha. Não foi a primeira nem será a última em que eu dei duro com um deles. Pensam que são mais do que os outros — uma ova! Viu como ele estava com pinta de lorde? — riu: — Perdeu o rebolado...

Ananias intimamente deliciava-se com a derrapagem do doutor:

— Foi de lascar!

A reunião realizara-se na garagem para onde transportaram mesa, cadeiras e um quadro-negro para demonstrações, moda que os demagogos da televisão lançaram com grande êxito; a balbúrdia ecoou pelo edifício, Dona Maria do Carmo já vinha correndo ver o que acontecera. Ao dar com o marido de sangue na testa, ficou aflitíssima:

— Nossa Senhora!

— Não foi nada! Um arranhão à-toa.

— Que à-toa!... Você está todo ensangüentado, Ardogênio. Vamos a uma farmácia depressa fazer um curativo.

— Não vou a farmácia nenhuma!

— Pode dar tétano, homem de Deus! Unha é venenosíssima!

— Não encha, mulher!

E agora, quase dois meses passados, Ananias, nostálgico, voltava com a idéia da árvore, que tanta baderna provocara:

— Ficaria uma coisinha condigna, não ficaria?

Ardogênio, saindo da modorra, penitenciou-se:

— Ficaria bacana. E não foi assunto resolvido por minha exclusiva culpa. Perdi os freios.

— Que culpa, qual nada! São coisas que acontecem.

Ardogênio fitou-o com decisão:

— E sabe duma coisa? Vamos plantá-la. No peito e na raça!

— É uma boa idéia — sorriu, animado, Ananias. — Mas se o síndico empombar?

O comerciante parecia rugir:

— Isso já são outros quinhentos mil-réis!

O postalista animou-se:

— Bravos! Vou trazer uma muda da casa do meu genro, em Niterói. Amanhã mesmo! Ele tem um quintal que dá gosto!

— Não! Deixa isso comigo. Faço questão. Questão fechada! Não será muda, não. Será uma árvore bem crescidinha. Vou escolher a capricho... Amanhã eu pego a caminhonete da loja e vou ao Horto Florestal buscar. Eles dão de graça, eu conheço um cara lá que é meu freguês velho. Mas mesmo que custasse cem mil cruzeiros eu trazia — crescidinha!

E no outro dia, triunfante, trouxe-a — já de metro e meio de altura, esbelta, muito viçosa. Era um *flamboyant.*

— O cara me disse que essa bicha sobe mais depressa do que avião!

Trouxe a árvore e trouxe enxada. Suando em bicas, cavoucou o terreno e, numa cova de quase três palmos, plantou o *flamboyant,* fincou uma escora para que ele se firmasse — o vento aqui é fogo —, regou-o, usando a chaleira, num ir e vir sem conta, para que ficasse bem regado:

— O cara me disse que regasse bem. Árvore quer água.

Ananias, auxiliando-o com os olhos, babava-se de prazer — era linda a diabinha, parecia uma girafinha... Dona Matilde achava, com os seus botões, que não era *flamboyant,* era uma acácia. Ardogênio deu por terminada a tarefa:

— Agora vamos ver! — lançou em desafio.

Ninguém disse nada e no outro dia o *flamboyant* estava meio murcho e o improvisado jardineiro deitou-lhe mais água na raiz; no segundo, piorou, e Ardogênio deu-lhe mais de beber; depois, apesar de todos os cuidados, perdeu a bonita folhagem que trouxera e as pequeninas folhas, como gotas amareladas, juncaram o canteiro e o triste cimento que o envolvia. Ananias mostrou-se apreensivo:

— Menino! Eu acho que ela vai morrer...

Ardogênio trouxera ainda precisas informações do Horto:

— Não vai morrer, não. É assim mesmo. É que ela sente um pouco a transplantação. Talvez tenha sentido demasiadamente. Mas não há de ser nada. Depois verá os brotos virem com toda a força.

— Deus o ouça!

— Deus não tem nada que ver com a história. É a natureza. A natureza tem as suas fofocas.

E foi realmente o que se deu. O tempo, que andara surpreendentemente seco, molhou-se. Foi uma semana inteira de chuvinha manhosa, incessante, as sarjetas transmudadas em eventuais regatos que os ralos sugavam, os morros escondidos naquela pasta de algodão acinzentada e úmida que deprimia os corações amantes do sol, chuva que irritava os nervos, que zombava das previsões meteorológicas, avidamente consultadas, passada a qual, como se uma química sutil se tivesse processado no seio da terra generosa, os brotos do *flamboyant* explodiram vigorosos, pintados de um verde vivo e lustroso.

Ananias não cabia em si de contente:

— Que maravilha!

Ardogênio sentia-se muito vaidoso dos seus conhecimentos botânicos adquiridos em meia hora do Horto Florestal:

— Eu não disse?

Dona Maria do Carmo, que fora ao dentista na cidade, chegara atrasada:

— Um caminhão e uma Kombi deram uma trombada defronte da Maternidade. Foi um engarrafamento em regra!

O marido adivinhou:

— Aposto minha cabeça que era mulher guiando, não era?

— Era — e ela riu, sacudindo a sacola onde caberia folgadamente uma criança.

Ardogênio tinha pontos de vista convictamente firmados:

— Mulher no volante é fogo!

Ananias só pensava na árvore:

— A senhora viu que beleza, Dona Maria do Carmo? Estão saindo os brotos. Agora ela vai! — E declamou colegialmente:

Não choremos, amigo, a mocidade!
Envelheçamos rindo! envelheçamos
Como as árvores fortes envelhecem:
Na glória da alegria e da bondade,
Agasalhando os pássaros nos ramos,
Dando sombra e consolo aos que padecem

— De quem é esse troço? — perguntou o comerciante.

— De Bilac. O nosso grande Bilac! — E como gostava de enunciar o nome todo do poeta, numa pequenina e perdoável exibição cultural: — Olavo Brás Martins dos Guimarães Bilac.

— Ah, bacaníssimo! — E gracejando: — Só que essa coisa de envelhecer rindo não é de meu agrado, não... Envelheço, mas é bufando! Ou mais!...

Os anos correm, meus caros leitores — os anos correm! Correram dois, pouco mais que dois, céleres, complicados, efervescentes, com a vida subindo assustadoramente de preço.

— Do jeito que vamos não sei onde iremos parar! — protestava Dona Matilde, às voltas com as despesas da casa.

— Iremos para a cucuia! — respondia Ananias com pessimismo.

— Do chão não passaremos... — aduzia Ardogênio com otimismo.

E a árvore cresceu com eles, assistida pelo permanente e desvelado carinho dos plantadores, engrossando o tronco liso e rijo, pondo os galhos delgados à altura das janelas do segundo andar, árvore tranqüila, poleiro das rolinhas, poleiro de bem-te-vis, poleiro de pardais, palco de cigarras cantadeiras, renda de folhas miúdas por onde perpassavam os marimbondos, as abelhas e os elétricos beija-flores. O postalista tivera aumento nos proventos de aposentado — uma micharia! — o comerciante comprara um Volkswagen, que sendo "o bom senso sobre rodas", era sonho longamente acalentado e debatido, e a sindicância do edifício acabara, por artes do demônio, muito aproveitador das eleições de condomínio, nas mãos do doutorzinho, que se revelou um ativo reformador, mormente do que não precisava ser reformado, e como não fica mal respigar exemplos do reformismo desnecessário, informamos ter trocado, na portaria, a láctea bacia de vidro, suspensa do teto por três azinhavradas correntes, por uma lanterna de brilhante latão que, sem que ficasse mais estética, diminuía consideravelmente o poder iluminante da econômica lâmpada de sessenta velas que o severo racionamento exigia; ter dispensado um faxineiro, por quem nutria partidária antipatia, admitindo para o lugar um sarará que mosqueava no diretório de bairro do seu partido, e ter posto cadeado nas portinholas dos medidores de luz e gás, providência geradora de tal reclamação por parte dos humildes e apressados marcadores que foi rapidamente abolida. Mas seus operosos olhos sindicais fixaram-se, principal e recalcadamente, no *flamboyant,* cuja galharia, segundo a sua opinião, ia importunar os moradores do segundo andar, como ainda sujava com o cair das pequeninas folhas, qual dourada chuva de confetes, o não muito assiduamente varrido cimento que cercava o comprido canteiro. E de tal nefanda sujidade fez expositiva menção a alguns pares, e o jovem médico foi o único que contestou, aliás de maneira metafórica:

— Há homens que sujam esta cidade muito mais...

O doutorzinho, que tinha ostensivas preferências políticas e colava cartazes eleitorais nas suas vidraças, fez-se de desentendido.

Chegou a Semana Santa, quando numerosos crentes aproveitam a ocasião para flanar não muito piedosamente fora da cidade, em campo, serra, ou praia. Ananias e patroa bateram asas para Niterói, a passá-la no pombal da filha, ninho acolchoado com todos os esgarçados algodões burgueses, no qual mais um netinho pipilava. Ardogênio na prolongada lua-de-mel com o carro, meteu mulher e prole no dito, que apelidara de "o poderoso" e zarpou, revezando-se no volante com os rapazes, tão barbeiros quanto ele, para um circuito fluminense com estágio forçado em Macaé, onde Dona Maria do Carmo tinha um irmão empenhado em empreitadas rodoviárias.

Ananias voltou primeiro, e era domingo, escancarou a porta dupla da varandinha, deu com a árvore cortada, rente à raiz, e sentiu como se um machado cruel o tivesse também abatido:

— Criminosos! — gritou num desespero, e veio aquela dor no peito, aquela náusea invencível, aquela imensa angústia, uma revolta orgânica, refugiou-se na cama, amparado pela mulher e tão mal passava, tão mal, que o Pronto-Socorro Cardíaco foi chamado, veio num átimo, fizeram um eletrocardiograma, aplicaram-lhe injeções e esperaram o efeito.

— É bom observar um pouco — declarou o médico de imaculado avental.

Pouco depois, à noitinha, chegava Ardogênio, vermelho como um camarão, e sendo a entrada do apartamento por dentro do edifício, não viu de imediato o sacrilégio. Viu, porém, a ambulância estacionada no pátio do prédio, e comentou:

— Quem será que está passando mal?

— Talvez o velhote do sexto andar — respondeu a esposa, de lenço estampado na cabeça, carregando o samburá da matalotagem.

Ao entrar no corredor, constatou que a porta do apartamento de Seu Ananias estava aberta e de lá vinha um rumor desusado. Nem abriu a sua porta, correu para a outra — que teria acontecido ao amigo? — e embarafustou-se pelo quarto. Ananias olhou-o como carneiro ferido, gemeu:

— Cortaram a árvore.

Ardogênio cuidou que delirava, consultou com o olhar o médico, pedindo uma explicação, e Ananias tornou:

— A nossa árvore...

Ardogênio, então, compreendeu:

— Não!!!

— Cortaram. Aqui não fico mais. Não posso ficar num covil de monstros. — E o médico, à cabeceira, bateu delicadamente na mão do enfermo, tentando acalmá-lo.

— Desgraçados! Miseráveis! Mas isso não fica assim não! Não fica! — e Ardogênio saiu como uma fúria.

Os filhos de Seu Ardogênio até aqui pouco entraram neste relato arrabaldino. Entrarão agora: continuavam marcando passo no colégio, cujas matrículas subiram substancialmente cada ano, desinteressados de qualquer ocupação, salvo a da ardorosa torcida flamenga, contentando-se com a mesada paterna, seguidamente majorada; usavam *blue-jeans* coçadíssimos, sapatos sem meias, cabelos sem ver tesoura, afinavam-se com as invenções da bossa-nova, que feriam os ouvidos entupidos pela cera tradicional. Apesar das aparências, não eram maus rapazes, apenas um pouquinho desajustados, desajuste em que Dona Maria do Carmo cooperara e cooperara de forma categórica. Mas solidários com o pai, ah, isso eles eram! — e foram no encalço dele, escada acima, pois Ardogênio nem pensou em esperar o elevador um segundo sequer. Pulando degraus, lépido como um jovem, enquanto os rapazes botavam os bofes pela boca, chegou ao quinto andar, apertou raivosa e prolongadamente a campainha do síndico — ninguém atendeu. Esmurrou a porta — nada! Alucinado, deu um valente pontapé nela, um chute no capacho, que foi parar longe, e outro na mesinha de tampo de vidro, que guarnecia a entradinha de marmorite, e o inocente tampo se desfez rigorosamente em estilhaços. E aí surgiram cabeças curiosas, alarmadas ou medrosas, de condôminos e um deles, de *slack,* esclareceu, receoso:

— Não tem ninguém. Foram passar a Semana Santa fora.

— Ah, é?!. . . — e Ardogênio, com o punho de aço, deu tamanho murro no espelho de galalite da campainha, que a estraçalhou. — Vamos!

Seguido dos filhos, despencou pela escada, desembocou no saguão de entrada. O porteiro, aos ecos do bafafá, estava de orelha em pé:

— Que foi, Seu Ardogênio?! Que foi?!

— Quem foi o calhorda que cortou a árvore? Quero quebrar-lhe as costelas! arrebentar-lhe a cara! — e brandia os punhos.

O homenzinho gaguejou — não fora ele, tinha sido ordem do síndico, mas o doutor estava fora.

— Aquele cachorro estava fora quando cortaram a árvore?!

Novo gaguejamento:

— Sim, estava. Deixou ordens.

— Covarde! Nós também estávamos fora. Se estivéssemos aqui queria ver quem teria o topete de cortar a árvore! Queria ver! — E apossou-se dele uma outra onda de cólera, precisava se vingar em alguém: — E quem foi o miserável que cortou a árvore?

O porteiro tremeu nas bases, gaguejava ainda mais. Ardogênio passou a mão no pescoço dele:

— Diga, infeliz!

A voz saiu espremida:

— Foi o Aristides.

— Ah, foi aquele sarará de titica?! Pois vai pagar por conta do patrão, que é da raça dele! Depois eu me avenho com o doutorzinho de borra!

E voou, filhos atrás, para o quarto do faxineiro, situado no extremo da garagem. Deu azar que o faxineiro estava, mas trancafiado, adivinhando a causa do rebuliço, lembrando-se, em cólicas, da determinação do protetor e correligionário:

— Foice naquela porcaria de árvore, Aristides! Não deixe nem cheiro dela! — E rindo: — Os dois estafermos vão ficar danados. Eles que se fumentem!

Agora ele é quem iria pagar o pato! E pagou. Não lhe valeram as duas voltas na chave. A porta era frágil, com dois esbarros a fechadura foi para o beleléu e os três invadiram o cubículo, com um escudo do Vasco pregado na parede, o que assanhou terrivelmente os rapazes.

— Pelo amor de Deus! — implorou o pobre-diabo, apavorado. — Pelo amor de Deus!

Deus, porém, não atendeu ao improvisado lenhador. Verdade seja dita, somente Ardogênio entrou em ação, os filhos apenas espiavam, na expectativa duma reação contra o velho. Que reação! O vascaíno apanhou de criar bicho, ficou estendido no chão, pisado, ensangüentado, quase sem poder falar.

Ardogênio deu-lhe uma derradeira pancada:

— Verme imundo! Agora corta outra árvore, patife! E

diga ao seu doutorzinho de merda que ele vai ficar como você, quando eu o encontrar. Pior! Muito pior!

O doutorzinho, contudo, escapou. O coronel reformado chamara a Radiopatrulha e lá se foi Ardogênio encanado para o distrito, apesar da onda que já se formara a seu favor; o comissário era enrolado, queria abrir processo, mandou o sarará a exame de corpo de delito, do que resultou um laudo no qual as equimoses contadas eram tão numerosas quanto os poros da vítima; mas o advogado, que tinha uma pinima com o síndico, ofereceu os seus serviços profissionais graciosamente e começou logo a chicanar, e o coronel acabou do lado do acusado:

— É um camarada simpático, esse baixinho! — comentava, rindo, na rodinha de biriba, no apartamento do jornalista. — Fez essa bagunça toda por causa de uma árvore...

E o processo não foi adiante, apenas houve um termo de *modus vivendi,* assinado pelo doutorzinho com caneta tremida e passando a fugir do vizinho como o demo da cruz, depois de ter resignado a sindicância em favor do vice-síndico.

O advogado gozava-o:

— Ficou mais sujo do que pau de galinheiro!...

Ardogênio, porém, era bicho de couro duro. Mal ficou livre da aporrinhação policial, foi buscar outro *flamboyant* no Horto Florestal e plantou-o ostensivamente no mesmo local:

— Agora, meu chapa, é esperar que cresça. Vai crescer! Vai ficar mais alto do que o Pão de Açúcar, isso eu juro! Ai de quem puser o dedo nele! O pau vai comer! — E prometia: — E não vai ficar em bofetão só, não. Vai sair defunto!

Ananias sorria, ainda em uso de tranqüilizantes:

— Você é de morte, compadre!

CONTO À LA MODE

Zulmira escancarou as janelas que eram molduras para o céu azul — uma, duas, três janelas, grandes, de correr, os trilhos levemente empenados pela ação da maresia, que corroera a televisão e o ar condicionado do quarto do casal, e foi um dinheirão de reforma — um dinheirão! Escancarou as janelas, a brisa salgada entrou varrendo o ar confinado como fresca vassoura e ela deu uma espiada lá para baixo com os esbugalhados olhos, tristes e submissos. Sete horas eram, o sol de verão já forte se mostrava, e os banhistas seminus começavam a encher a estreita e tão promovida faixa praiana, suja pela demasiada freqüência algo suburbana aos domingos e que aumentaria a cada instante fazendo com que, ao meio-dia, não restasse um palmo livre de areia, extenso e afrodisíaco molhe de coxas, de espáduas, de seios e nádegas mal contidas nos maiôs e nos biquínis, pintalgado pelas cores vivas das barracas, enquanto pela pista de asfalto, sem sombra de árvore, as filas de automóveis se alongariam, vagarosas, entre buzinadas, estampidos de motores e agressivos e estúpidos escapamentos abertos, que a inerte Inspetoria de Veículos não conseguia coibir. Escancarou as janelas e foi apagar o abajur que deixaram aceso toda a noite, indiferentes ao racionamento, como se ele nem existisse, um abajur de canto, sobre a mesinha antiga que um antiquário empurrara por alto preço, abajur branco, de opalina, e quase privativo da poltrona de leitura de Dr. Fifinho, leitura aliás escassa, resumindo-se à do vespertino reacionário com a sua página de histórias em quadrinhos, aventuras e humorismo importados, que satisfaziam plenamente as suas necessidades mentais.

Zulmira, que já fora à missa na sombria e feia igreja da praça, cheia de ecos côncavos e de mofo, sem missal, pois não sabia ler, vestido escuro, véu na carapinha e confessando-se e comungando, como diariamente fazia, já temperara a carne para o obrigatório assado dominical e preparara os desjejuns da família, frutas descascadas para uns, suco de laranja para outros e, para Dr. Fifinho, se alinhavam os apetrechos para o clássico chá genuinamente inglês, era a única pessoa que acordava cedo naquele apartamento de décimo andar, com sancas, vestíbulo de mármores, banheiros de cor, soalho vitrificado, elevador social privativo e, em cima da porta de entrada, o azulejo florido com o dístico: "Deus está nesta casa", dístico que Dr. Fifinho, sem se externar, desconfiava estar errado — nesta ou nessa? Era a única que acordava cedo, como era a única empregada que resistira ao estouvamento e concupiscência juvenil dos rapazes, à implicância e alopração da mocinha, às impertinências de madame, inconsolável com a cega impertinência dos anos, pois só Dr. Fifinho era morador que não aborrecia nem destratava empregados, gastando, quando na pior das hipóteses, uma distante e senhorial superioridade com alguns deles. Há mais de quinze anos que ali estava, desde que viera da roça em Minas, perto de Paraopeba, e nunca mais soubera dos pais, agregados dum velho fazendeiro mais interessado na política municipal do que em agricultura ou pastoreio, gozando de algumas considerações, especialmente da parte de Dr. Fifinho, que não escondia de ninguém a sua confiança: — "Com a Zulmira a gente pode deixar ouro em pó!" — confiança que imensamente a desvanecia. Não vira as crianças nascerem, mas as encontrara bem pequenas, necessitando de cuidados, dada a indolência materna, e vira uma centena, ou mais, de empregadas desfilarem pela copa e pela cozinha. Fora babá, fora arrumadeira, fora cozinheira, fora lavadeira, e como as crianças sujavam roupa! — agora era um pouco de tudo, até enfermeira, até eventual confidente dos ciúmes fundados ou climatéricos de madame — pau para toda obra.

Dr. Fifinho — Rufino Osório da Silva Costa, neto de um senador pelo Piauí, latifundiário de sesmarias, falecido em 1936 e não antes de arranjar muito satisfatoriamente os filhos, os genros e até os netos — era quem mais cedo saía da cama (de baldaquim) entre os membros da família e, às dez horas, aparecia de roupão de seda e pantufas de pelica preta, a espessa barba por fazer:

— Zulmira, o meu chá!

Assim era todos os dias e, num piscar de olhos, estava servido, saboreava a beberagem com unção, vício que herdara do pai, que borboleteara na Inglaterra quando moço, entremeando-a com uma prosa sem conseqüência, como se desta forma exercitasse matinalmente o uso da palavra:

— Foi à missa, Zulmira?

— Fui sim, senhor.

— A das seis?

— A das cinco, Dr. Fifinho! Como sempre.

— Estava bonita?

— Então não havia de estar, Dr. Fifinho? Uma beleza!

— Confessou-se direitinho?

— Confessei sim, senhor. Confessei e comunguei. — E ela esfregou as mãos ásperas, negras e quadradas no avental imaculadamente branco.

— Muitos pecados? — e o patrão piscou o olho esquerdo, que parecia maior que o outro.

— Alguns sim, senhor — riu confusa.

— Os para o gasto, não é? É bom ficar livre deles... Muito bem. Pecado é fogo!

Pecados tinha ele muitos, sabia, mas era bagagem que acumulava sem se preocupar, como não o preocupava ainda, senão vagamente, o medo da morte, descendente que era de gente longeva. O colégio de padres fatigara-o de práticas religiosas — caramba, a quantas missas agüentara caindo de sono, a quantas novenas assistira de joelhos dormentes, quantas hóstias papara de boca salobra pelo longo jejum! Ademais a padrecada... Bem... — e pousou os olhos na Ceia adquirida em Florença e douradamente emoldurada — era uma reprodução decente! Acendeu o cigarro de filtro — só fumava cigarro americano, comprado no contrabandista, no qual adquiria também o seu uísque e o seu chá — levantou-se:

— Ótimo, Zulmira!

— Deus o ouça!

E, em sendo domingo — o dia mais chato da semana! — substituíra a leitura do divertido vespertino pela de um matutino menos patusco, mas também conservador, e gordo pelas vinte páginas de anúncios graúdos e miúdos, que lhe proporcionavam uma agradável e segura sensação do progresso da oferta e da procura. Deu uma olhada no artigo de fundo, que atacava rijamente o governo pelos perigosos caminhos em que ele se despencava sem atender aos sentimentos cristãos do nosso povo — é isto mesmo! do jeito que vamos estaremos com o comunismo às portas... Deu uma olhada na crônica social na esperança de encontrar o seu nome, coisa que, quando acontecia, tocava singularmente a sua vaidade, mas só havia o da besta do Fagundes, que recepcionara no novo apartamento da Avenida Rui Barbosa decorado pelo tal marquês italiano — vai ver que o carcamano não é marquês coisa nenhuma! Deu uma olhada na seção esportiva — o Fluminense não ia lá das pernas... também com aquele técnico!... E cansou-se, e depositou o jornal mal dobrado na papeleira, limpou no roupão as mãos sujas da tinta de imprensa, e acendeu outro cigarro, e ficou pensando no prejuízo da noite passada — 45 mil bagarotes! — no pif-paf na casa do cunhado promotor — vão ter sorte assim nas profundas do inferno! E não fora o único do sábado — contabilizava. A amante, que começara naturalmente como secretária na companhia de seguros que presidia, tomara-lhe, assim na bucha, 80 mil pratas para a reforma do guarda-roupa, reforma que estava se tornando exageradamente semanal — quem acabaria precisando de uma reforma de base era ele! Prejuízos... prejuízos... Felizmente — e foi tomado insensivelmente por um senso de eqüidade — a companhia era uma mina. Aquela bolação dos seguros contra batidas de automóveis fora genial! uma coisa mesmo de se tirar o chapéu! Criavam tantas e tantas dificuldades jurídicas que o freguês acabava recebendo mesmo metade, ou um terço, do conserto, nem mais um tostão! e ainda saía satisfeito... E estes alentadores, confortadores cismares foram interrompidos pelo aparecimento de Rufininho e Heitor, de sunga e sandálias japonesas, caras esgrouviadas, cabelos enormes, e Heitor tão queimado de sol que não se conteve:

— Puxa, você parece um zulu!

Os jovens não lhe dispensaram a menor confiança. Tascaram um biscoito, despejaram pela goela abaixo o suco de laranja, acenderam o cigarrinho da moda, iam meter um banho de mar no Castelinho, onde tinham as suas rodas certas — deram no pé. Mas não seria nos calcantes, e Rufininho avisou:

— Vou pegar o seu carro, pai.

— O meu? E o de vocês?

— Pifou. Deixei ontem na retífica. Oito mil, sabe?

Ficou sabendo, franziu a testa de dois dedos — mais uma parcela para a soma dos prejuízos de sábado. Enfim, o mundo é assim, seu Serafim... como dizia o avô senador — conformou-se. Conformou-se, mas ainda abriu o bico:

— E quando voltam, poderia saber? Tenho que sair.

— Antes das duas estaremos aqui.

— O almoço é às duas.

— Estamos fartos de saber.

Foram-se muito lampeiros. Tinham-lhe dado algumas dores de cabeça os filhos — filho é fogo! Rufininho fora reprovado três anos seguidos em exame vestibular, armara encrenca em tudo quanto é inferninho e, não contente, atropelara um velho aposentado na Avenida Nossa Senhora de Copacabana, desgraça que rendeu e ainda bem que o velhote não morrera com a trombada, bicho duro que era! Heitor, que gostava de entornar o copo, dera vários escândalos, abusara duma garota e o advogado da firma, um bocado velhaco, tivera de se virar para provar que o broto dava sopa! Agora, com a graça de Deus, estavam mais calmos, mais acomodados. Rufininho desistira de escola superior e auxiliava-o mais ou menos satisfatoriamente na companhia, mas com muito vale no caixa — não sabia onde ele gastava tanto dinheiro! — Heitor conseguira se meter num curso de economia — uma carreira de grande futuro! — e funcionava de contrabaixo num conjunto amador de bossa-nova — uma música de encher o saco! — mas que o psiquiatra achara um bom derivativo e realmente parecia que estava dando resultado. Ana Lúcia é que era o problema grave de então — muito grave e para o qual não via solução, salvo a de um bom casamento, coisa porém duvidosa e nada imediata. Não quisera estudar, parara no ginasial feito aos pontapés, vivia em cabeleireiros, em modistas, em passeatas, em namoriscos, cada semana saindo com um coca-cola diferente a tiracolo. Uma vez, chegando em casa de repente, encontrara-a atracada no divã com um louraço... Desgrudaram-se rapidamente, disfarçaram o quanto puderam, ele ficara sem saber o que fazer ou que dizer, refugiara-se no quarto, abalado e confuso, o rapaz deu logo o fora, podia ser que estivesse enganado, podia, mas era capaz de jurar que boa coisa não estavam fazendo.

E é Ana Lúcia que surge, de roupão de praia, muito curto, biquíni vermelho, cabelo escorrido, as pernas firmes e esguias lembrando as da mãe quando era moça e tomava banho no Flamengo, só que não nua daquele jeito!

— Alô, pai.

— Alô, minha filha.

Ela chocha, ele mais caloroso um pouquinho, e ficaram na telefônica saudação como se um mútuo constrangimento os impedisse de ir além. E aquela era a sua filha, mas que distância sentia existir entre eles! distância que via crescer cada hora, formando um arenoso deserto, sem caminhos e sem oásis, ilimitado horizonte que acabaria por tornar impossível qualquer gesto de aproximação e entendimento. Como se fosse filha doutra pessoa, embora traços fisionômicos comuns logo identificassem a filiação; como se fosse estrangeira, outra língua falasse e nenhum laço os unisse. Tinha culpa? Assistira-a convenientemente? Sentia-se perturbado — sempre tratara os filhos com tolerância e paciência, procurando que nada lhes faltasse, sempre atendera-os e os perdoara nas suas confusões — e ele também não as tivera na sua mocidade? — mas talvez não fosse o certo e o bastante, e faltasse um óleo, que desconhecia, capaz de azeitar as rodas da emperrada máquina familiar, talvez lamentavelmente falhasse como maquinista e as fugas para os negócios, para a vida social, para as viagens ao estrangeiro, para o jogo e para os escondidos e complicados amores fossem barreiras que ele próprio levantara contra a perfeita aprendizagem da função, que a todos parece tão fácil e natural!

Ana Lúcia sentou-se à mesa, cruzou as pernas, beliscou uma fruta, os lábios polpudos, enfastiada:

— Não tem café?

— Tem. Já vou trazer. Tá no banho-maria — e Zulmira apressou-se, nas pernas varicosas, a ir buscá-lo.

— A Odaléia não está?

— É dia de folga dela, Ana Lúcia — e o tratamento das crianças sem senhoria era uma das suas modestas conquistas.

— Que folga tem essa gente!

Era coisa que Zulmira não desfrutava, caseira por natureza. Raro, raro, aproveitava um feriado e, infatigavelmente, ia passar o dia em Sapicuruna com uma vaguíssima comadre, e da visita voltava com um embrulho de limões-galegos, que generosamente incluía no farto abastecimento da casa. E Ana Lúcia prosseguiu:

— Qualquer dia a gente é que vai para a cozinha, vai varrer a casa, vai tirar o pó, tem que servir a mesa...

Zulmira não compreendeu:

— A tia dela está doente. Muito doente. Teve um inchaço brabo na altura dos peitos. Está que não pode nem se mexer.

Ana Lúcia passou o guardanapo na boca sem pintura, levantou-se, ajustando o roupão felpudo e escarlate, ajeitando a larga fita de elástico que prendia os cabelos.

— Vou-me indo.

— Onde você vai? — aventurou o pai.

— À praia, é claro.

— Vai sozinha? — e sabia o quanto era vaga e inútil a pergunta.

— Que idéia? Vou com o César Augusto. Ele vem me apanhar. Está combinado. Vou esperar na porta do edifício. (Ia dizer que ali estava chatíssimo, mas não disse.) Prometeu passar às onze e qualquer coisa. Onze já são. Não deve demorar.

Ela falava mais que do costume, inconsciente estratagema para encher um tempo de penoso contato, para esconder seus verdadeiros passos, suas verdadeiras intenções. César Augusto? Quem era César Augusto? — pensou ele em perguntar, quando nada para enfestar mais um pouco a conversinha, todavia Ana Lúcia já torcia a maçaneta após uns passos em que havia vestígios de *twist* aprendido na milimétrica pista de dança do *Black Horse:*

— Tchau.

— Tchau.

Repetia os cumprimentos dela como um eco — já bem notara, sem conseguir se conter, arrastado por impulso insopitável, o seu inconsciente estratagema para forçar a aproximação e a intimidade fugidias. A porta se fechou macia, o elevador foi chamado. Ficou só. A vida vivemo-la só — suspirou interiormente — e precisamos vivê-la... Esticou a perna dormente, manejou o isqueiro de ouro num golpe seco e decisivo. Ficara no ar um perfume, emoliente e caro, que tentou identificar, coçando o queixo fino, pois os perfumes traziam-lhe sempre pecaminosas e acre-saudosas lembranças femininas. Olhou a janela — o azul! o azul! E de azul, carregado azul, surgiu Iracema, as ancas largas, a face lustrosa de creme, que os tinha para todas as horas e precauções, a rede imperceptível contendo os cabelos pintados dum preto sem brilho, os anéis de diamante e platina pesando nos dedos, anéis que não tirava nem para tomar banho, o ar cansado:

— Zulmira!

A negra trouxe a dieta da patroa, *dieta científica,* isenta de hidratos de carbono, a derradeira a que se entregava com um entusiasmo exagerado e ridículo: pão de glúten, ovo cozido, queijo prato, abacate e melancia, sacarina, só sacarina

— calorias não engordam! — e a cada momento apalpando a cintura e os braços flácidos, conferindo nos espelhos a derrota da celulite, que se mostrava rebelde.

O marido abandonou o mutismo com que cercou a lenta refeição da mulher:

— Ana Lúcia saiu com um tal de César Augusto. Você conhece esse cara?

— Conheço. Muito distinto. É filho do Almirante Sousa.

Os bordados do almirante serenaram as suas apreensões:

— Ah, não sabia.

— Pois é.

Houve uma pausa. Zulmira recolhia a louça, o avental molhado. Surdo, subia até eles o marulho das ondas, mais vivo, um vago vozerio esportivo, e o sol entrava até o tapete persa, outra impulsiva aquisição européia. E Dr. Fifinho voltou.

— Que apito toca?

— Quem? — inquiriu Iracema, aérea.

— O tal César Augusto, ora.

— Ah! não sei.

Dr. Fifinho sorriu — já esperava por aquela — a mulher nunca sabia as coisas senão pela metade, ou baralhava-as, ou confundia-as, irritando-o quanta vez a ponto de chegar a palavras bruscas, que ela não compreendia e retrucava com lágrimas fáceis. E Iracema, em tardos movimentos, dirigiu-se para a cadeira de balanço junto às janelas, onde o *ficus* italiano amarelecia e definhava — era o segundo que compravam:

— A *Página Feminina* está aí, Fifinho?

A *Página Feminina* era a ilustrada enciclopédia em que ela semanal, mas não assiduamente, abastecia a sua cultura, recortando conselhos e receitas de variada espécie, que imediatamente perdia. O marido separou-a do corpo do jornal, foi entregá-la sem convicção:

— Toma.

Mas a esposa mudou de idéia com ar sofredor:

— Depois eu leio. Estou com os olhos muito pesados, ardendo. Parece que têm areia — e colocou o suplemento sobre a banqueta ao pé da cadeira. — Dormi muito mal. Malíssimo! Acordei não sei quantas vezes.

Era mania sua garantir, com a maior veemência e desfaçatez, que não pregara olho a noite inteira, quando o marido, melhor do que ninguém, sabia quanto seu sono era de chumbo, levemente roncado.

Nova e dilatada pausa, silêncio quase hostil, fruto do extremo cansaço a que chegam as longas intimidades não ligadas pelo cimento do perfeito amor — casamento não insensato, mas precipitado e de interesse, em que o viço da esposa, apenas engraçadinha, apenas graciosa quando arrastando comprido véu subia ao altar da Candelária, tão rapidamente feneceu ao desgaste de três partos consecutivos, antes que a experiência os impedisse — silêncio que entre o casal cada dia mais se impunha, secreto e precavido recurso para que tudo não se desmoronasse e guardadas fossem as necessárias aparências que a economia comum exigia. A mosca fazia importunas evoluções, ele enxotou-a mais uma vez:

— Será que não há *flit* nesta casa? (E a incerteza gramatical repetia-se: nesta ou nessa?)

Iracema não é nada sutil para as dificuldades do idioma, nem sabe mesmo o que é idioma, e as raras cartas que penosamente escrevia com letra infantil, achas para manter a chama do convívio social, eram patentes exemplos de tal ignorância. Contudo, a reclamação na qual sentia um oculto espinho para feri-la, deixa margem a uma reclamação de autodefesa:

— Não me venha com histórias! Você sabe perfeitamente que isto não é comigo. É com Zulmira. Fale com ela. Cada macaco no seu galho. Não tenho tempo para estas coisas.

Dr. Fifinho agastou-se:

— Bem, você não tem tempo para coisa nenhuma, isto é o que é! Se não fosse mesmo a Zulmira, esta casa andava à matroca. Uma verdadeira bagunça!

— Nós pagamos empregados é para que nos sirvam.

— Exatamente! Exatamente! Não queira ensinar o padre-nosso ao vigário... Mas uma dona de casa tem a obrigação de supervisionar. (Supervisionar era verbo que largamente consumia no escritório.) Você sabe quanto se gastou este mês aqui em casa? Sabe?

— Não sei, nem quero saber. Dinheiro foi feito para se gastar!

— Isto estaria muito bem se fosse você quem o ganhasse.

Gostava de encher a boca com o dote que trouxera:

— Meu pai...

— Seu pai que vá para o diabo que o carregue! — interrompeu-a. — O que ele te deu, eu não meti o pau não! Multipliquei! Multipliquei por cem! E não é para atirar pela janela!

Iracema não era boa esgrimista verbal, na verdade era péssima, e visceralmente covarde. Vieram-lhe as lágrimas aos olhos, bateu em retirada:

— Abomino domingo! Maldito dia! Não há um em que você logo de manhã não venha com aborrecimentos, com destemperos, com reclamações. Que vida! — E levantou-se, refugiou-se no quarto, preparando-se para a fatal enxaqueca.

Dr. Fifinho mais uma vez ficou só. Só como numa prisão sem grades. Aves riscaram o retângulo azul. Gaivotas ou urubus? — sabe lá. Leve, um fiapo de arrependimento tocalhe o coração — a mulher era idiota e idiota morreria. Pensou em ir vê-la, dissolver o desentendimento com palavras não muito precisas, tal acontecera em outras ocasiões, porém não foi, que um peso mais forte prendia-o à estofada cadeira. Acendeu um cigarro, consumiu-o, depois foi é tomar uma drágea antidistônica das quais, de tempos para cá, abusava. E enfiou-se no banheiro para fazer a barba e tomar a sua morna chuveirada — as torneiras estavam secas... Bufou de raiva:

— Zulmira! Ó Zulmira! A água já acabou?

Ela acudiu-o:

— Cortaram ela hoje mais cedo, Dr. Fifinho.

— E nem para me avisarem! Essa não!

A negra sentiu-se culpadíssima:

— Me esqueci, Dr. Fifinho. Me esqueci. Me adiscurpe! É tanta coisa na minha cabeça...

— Era só o que faltava!

— Eu enchi uns baldes para lavar a louça. Vou trazer um pouco para o doutor fazer a barba. Se quiser tomar um banho de cuia, eu dou um jeito...

— Que merda de cidade! — rugiu, furibundo. — Não aumentaram o preço da água, não. Aumentaram foi o preço da falta da água! Cinco mil por cento!

O escritório de Dr. Fifinho, na Esplanada do Castelo, reformado pela sensibilidade de um decorador afeminado mas encantador, recomendado pelo diretor do Banco Esperança — que ficara um estouro! — era refrigerado, atapetado em verde-garrafa, tinha poltronas cor de laranja duma maciez de peito de moça, telefone JK também cor de laranja, cortinas de alumínio tendendo para o *brick* e ostentava, em cima do divã de severíssimo castanho, um enorme óleo abstrato do paulistano Tzuku Nakaki, artista premiado aqui e além-mar, que fazia furor nas colunas da vanguardeira crítica especializada e que Heitor considerava o fino!

— Você compreende esta joça? — perguntara, quando o quadro chegou, à nova secretária, que tinha charme, inconfundíveis requebros, busto soberbo, maquilagem irrepreensível e não se esquivava a piadas entradeiras, nítida vereda para futuras e mais concretas intimidades.

— Eu não! — retrucou a beldade com calor e desenvoltura, o vestido de jérsei em cima da pele. — É arte de araque!

Compartilhava plenamente da abalizada opinião secretarial, embora que com outro frascado:

— É duma burrice gritante! Uma empulhação! Só o Heitor é que gosta dessa bobagem. Bossa-nova...

Mas o amigo banqueiro, que lhe inculcara o decorador, companheiro do Country, do Jockey e do almoço diário no Clube Internacional — somente para cavalheiros! — que estava por trás duma galeria moderna, facilitando com tabela Price o financiamento para os cristãos-novos da tal mercadoria artística, impusera-o como magnífico emprego de capital — valorização batata! — nesta época de rendosa inflação para alguns, e como estava também e, principalmente, de comparsa na companhia seguradora, e até ao conselho fiscal dela pertencia, fortalecendo pública e notoriamente a respeitabilidade da empresa, entregou o rabo à seringa — vá lá! — e foi uma rombuda sangria de um milhão! Mas serena e calculadamente espalhou que foram dois, "pois é preciso que até as asneiras rendam juros", como confidenciou ao contador-geral, que ficara boquiaberto quando a fatura da galeria, por sinal um luxuosíssimo trabalho gráfico, passou pelo guichê mais acostumado ao receber do que ao pagar.

O carnaval se fora, conquanto reminiscências dele ainda perdurassem nas revistas, que folheava nas horas de trabalho, quando sua mais árdua função era a de supervisionar, e no corpo da secretária, portador de equimoses suspeitíssimas, tanto se esbaldara ela nos bailes do Glória, do Copacabana e do Municipal, com um *sarong* de *lamé* que foi um sucesso. E via que as futricas políticas tornavam com mais intensa e inquietadora intensidade, as greves se multiplicando, o cruzeiro se aviltando, o dólar subindo estratosfericamente, as ações baixando, a demagogia roncando, e as esquerdas agindo aberta e ameaçadoramente, amparadas de longe pelo próprio Presidente da República de braço dado com a praga dos sindicatos, e sindicato constituía monstruosidade que nunca lhe entrara na cabeça — uma das malandragens de Getúlio! Era para fundados receios, sim, para justíssimos receios, receios que já externara superficialmente à secretária com palpitante decote, receios que ela imediatamente compartilhara, pois seu lema, aliás infalível, era agradar com ou sem decotes palpitantes. Na realidade, Dr. Fifinho não se interessava muito por política, como se com o avô senador, dos saudosos tempos das eleições à base da caneta, tivessem morrido as suas aspirações, vantagens e intuições partidárias; votava por votar, votava porque era obrigatório, se aporrinhando cordialmente na fita eleitoral, e o fazia conforme restritas pressões de amigos e consócios, mas a onda revolucionária estava engrossando e era preciso pôr um freio a ela, pôr um paradeiro aos agitadores profissionais da tranqüilidade pública, esmagar a hidra das ideologias exóticas, como muito bem classificavam os seus jornais preferidos. A entidade patronal a que pertencia apelara para a conjuração do perigo a que estavam expostos os sócios em particular e a sociedade em geral — não podiam ficar de braços cruzados, enquanto o inimigo avançava! Não se negara a cooperar para o extermínio do câncer — outro diagnóstico dos seus jornais, partidários de drástica terapêutica — seria até um suicídio não fazê-lo, contudo, volvido para outros lados e outras solicitações, enredado na sua preguiça e nos seus prazeres, não freqüentava as reuniões convocadas, não fiscalizava a utilização da sua contribuição e nem sabia, isto era positivo! o que faziam do dinheiro que mensal e pontualmente fornecia à Ação Contra o Comunismo, organismo mais conhecido nos muros, nas manchetes e na boca dos confrades por ACC. E foi precisamente sobre a sadia instituição que o contador-geral, modesto escoteiro da sigla, veio lhe falar:

— A ACC rogou que aumentássemos a contribuição, Dr. Rufino. As coisas estão pretas. Precisam de cobre.

— Mas nós já não demos bastante?

— Pediram mais, Dr. Rufino. Precisam de mais. Sem combustível a locomotiva não anda... E tem que andar.

Não gostou da imagem, remexeu-se na cadeira de marroquim e molejo:

— Mais quanto?

— Mais trezentos mil, Dr. Rufino.

— Trezentos mil?! — e a voz saiu furiosa. — Não tem cabimento! É uma barbaridade! uma loucura!

— Trezentos mil — confirmou o contabilista quase impassível. — Conta redonda.

— Mas eu não fabrico dinheiro, caramba! Quem fabrica dinheiro é o governo... E às pampas! Não há hora que não ponha uma emissão na rua! — Transmudou a fisionomia para um ar de decepção; — Ora, com quem casei minha filha!... Assim acabamos abrindo falência!

O rosto envelhecido e ratoneiro do contador-geral era o mais autorizado a dizer que não. Dr. Fifinho compreendeu-o, acalmou-se — afinal era apenas uma sangria a mais, como a do quadro abstrato, como a do Volkswagen da amante. Mas era um lutador. E lutou:

— Mas afinal quem é que pediu?

— O Dr. Vasconcelos.

— Ah, foi o Vasconcelos? Por que não me disse antes? Então, com mil diabos, não se discute, dê!

— Vou fazer o cheque, Dr. Rufino. Vai sair como propaganda. Como sempre.

— Isto é lá com você! Cada macaco no seu galho. Não tenho tempo para essas coisas. Tenho muito em que pensar. E vê se ficam nisto pelo menos por estes dois meses mais próximos. É só pedir dinheiro — ia dizer extorquir, mas não disse — e de prático nada. É greve sobre greve, baderna sobre baderna, é confusão sobre confusão, é... — interrompeu-se meio engasgado.

— Sim. Conversarei sobre as nossas dificuldades.

— Claro! Diga que são imensas. Só o novo salário mínimo...

— Tá bem — concordou o contador-geral com matreirice. E mais decidido: — A luta é de vida ou morte, Dr. Rufino. De vida ou morte! O senhor não compreende não?

Aí as palavras do contador-geral foram o fósforo humilde que acendeu a flébil candeia do entendimento naquele cérebro refratário a certas realidades — era assunto de vida ou morte, sim! É que os lucros líquidos e certos da companhia, cujos balanços eram muito penteados para escapar aos assaltos do imposto sobre a renda, e mais os pingues dividendos que, sem o mínimo esforço, colhia em algumas sociedades nas quais depositara razoáveis capitais, além duma inata lerdeza para os problemas ditos sociais, que considerava abaixo do seu sangue e das suas prerrogativas de casta, faziam com que a elas se conservasse alheio e indiferente, recebendo-as com mais ou menos frieza quando consumadas. E eis que acorda do descansado letargo — vida ou morte! Encarou fixamente o contador-geral — aquele marreco! Tudo fazia para manter o subalterno em apagado lugar, envergonhado da própria falta de descortino e de malícia comercial, qualidades que o velho e calejado empregado possuía para dar e vender, mas tinha agora que reconhecer e agradecer-lhe a advertência, mais que advertência — verdadeiro alarme.

— Você tem razão. — Contudo, pelo arraigado costume, não pôde deixar de diminuí-lo, adjudicando também ao alto dirigente da ACC, seu amigo do peito e seu igual, a importância do aviso: — O Vasconcelos tem razão. É questão de vida ou morte!

E, subitamente, sentiu-se muito soldado, melhor, muito general, queria entrar logo em ação guerreira, aniquilar a politicagem mazorqueira, escavar a canalha comunista e sindical, estraçalhar a pelegada de fancaria, produto desta porcaria chamada Ministério do Trabalho, que só servia para arrancar dinheiro e para indispor os operários contra os patrões, as classes obreiras contra os capitães-de-indústria, impedir a livre iniciativa, atrasar o progresso do país. E tocou, nervoso, a campainha chamando a secretária:

— Me ligue com o Vasconcelos. Quero falar com ele.

Ele dobrou-se, como de hábito, sobre a escrivaninha de tampo de fórmica, com o deliberado propósito de desvendar-lhe uma tentadora nesga das suas opulentas profundezas carnais:

— O Sr. Vasconcelos da Siderúrgica Nova Aurora, Dr. Rufino?

— Não, mulherzinha! O Vasconcelos da Organização Compre Tudo.

— Um minutinho!

Não foi um minutinho — seria milagre! Foram perto de quinze, de fone no ouvido, com brincos descomunais, e dedinho insistindo no disco, pois àquela hora da tarde as linhas da estação ficavam ocupadas que era um horror.

— São os danados dos bicheiros funcionando — resmungou ele, batendo com a esferográfica uns sinais Morse de impaciência. — É um inferno!

O contador-geral é típico exemplar da classe média:

— Com o dinheiro dos contraventores o Governador está construindo escolas. Escolas e hospitais.

— O homem é sabido.

— É um patriota, Dr. Rufino!

Resolveu chatear um pouco o prestimoso auxiliar:

— Mas enche demais na televisão. Fala pelas tripas do Judas! Parece que engoliu agulha de vitrola...

O homenzinho era um crente:

— É preciso esclarecer o povo, Dr. Rufino.

Mas uma alfinetada, parafraseando, sem saber, o colunista pertinaz agressor do governante:

— Mas também é preciso não mistificar os palermas, nem seduzir as donzelas!

O subalterno espumou de cólera por dentro, mas não se atreveu a replicar. E, por fim, a ligação foi feita. Vasconcelos, porém, não se encontrava, nem voltaria mais ao escritório naquela tarde — tinha uma reunião importantíssima na Associação dos Produtores de Madeiras Compensadas, que não podiam manter o nível dos preços e exigiam um aumento imediato de 50%, sujeito a posterior revisão. E com o desencontro, o guerreiro esmoreceu:

— Está bem. Amanhã eu falarei. Não se esqueça, ouviu, pequena? Amanhã, logo cedo, me desencante o Vasconcelos.

— OK! — e a moça saiu, rebolando acintosamente.

Dr. Fifinho ficou só, embalado pelo ronronar do aparelho de ar condicionado. Mas foi por pouco tempo — a solidão o amargurava, punha em seu coração a opressão de um sentimento que não sabia ser de culpa. Consultou o relógio-pulseira — três e um quarto. Deu por terminado o expediente — aquela lida! — e rumou para o apartamento do Russell ruminando o justo relaxamento que o aguardaria no caloroso, perfumado e clandestino ninho, que tão dispendiosamente mobiliara. Guiava o Impala cinzento com excessiva velocidade e percebeu, com uma ponta de irritação, uns grilos na carroceria — quando os meninos botavam as patas no carro era aquela miséria!

Tinha a chave da porta, foi entrando:

— Aldete!

Ninguém respondeu e ficou de pulga atrás da orelha — ela não telefonara... Varejou a cozinha minúscula e escura, o quartinho de empregados, quase sem ventilação — a empregadinha também não estava. Sentiu-se roubado, ofendido, enganado — estava sendo passado para trás, não havia dúvidas! Entornou um copo d'água geladíssima, tirou o paletó, afrouxou a gravata, desabotoou o colarinho, despejou-se na poltrona-do-papai, uma brincadeira de Aldete, presente de Natal, que saíra do seu próprio bolso, é óbvio! ficou entregue aos mais desencontrados e humilhantes pensamentos, os olhos atraídos para a biqueira dos sapatos. O barulho na porta dos fundos o despertou; era a empregadinha chegando, suada, com o saco das compras — fora ao mercadinho. Fez a cara mais feroz que pôde:

— Onde foi Dona Aldete?

— Foi à costureira, seu doutor.

— A que horas saiu?

— Saiu logo depois do almoço.

— Depois do almoço?!

— Logo depois, Dr. Rufino.

— E não disse a que horas voltava?

— Não disse não, senhor.

Lógico que Aldete não iria dizer aonde fora — era um imbecil! um imbecil chapado! E o olhar caiu na cabrocha, como já em tantas outras vezes — gostosa, cabelos pintados de louro, louro tisnado, gordinha, o narizinho petulante, o peitinho cheio, tão apetecível! A amortecida chama guerreira reacendeu em flama lúbrica e vingadora. Tomou-lhe a mão, atrevido:

— Como é, você não tem namorado?

A escolada pombinha percebeu a manobra, negaceou, tomando logo liberdade de chamá-lo pelo apelido:

— Pra que namorado, Dr. Fifinho? Eu, hem!

O desejo era invencível — quem não tem cão, caça com gato — e não teve mais hesitações, nem mediu conseqüências. Avançou, enlaçou-a, dobrou-a. Ela reagia frouxamente:

— Dr. Fifinho! Que é isto, Dr. Fifinho? Pode vir gente...

Estava cego, empolgado, tentando arrancar a calcinha de *nylon:*

— Dane-se!

— Não...

Acabou deixando — não era virgem. Tudo com rapidez de galo, no quartinho de empregados, atulhado, de porta aberta, cheirando a roupa usada, a sabonete barato, o pequeno rádio de pilha, mudo, na mesinha de cabeceira.

— Se viesse gente havia de ser muito bonito... — compunha-se ela, e, quando falava em gente, referia-se especificamente à trêfega patroa.

Ele fingiu que não compreendia, compôs-se também, largou uma abobrinha na mão dela, que não se fez de rogada, resolveu se mandar:

— Para todos os efeitos, não estive aqui, percebeu? Não se manque.

Ela devolveu-lhe um risinho maroto de cumplicidade:

— Boca de siri...

Saiu, sentindo-se desoprimido, leve de alma, desforrado. Somente na rua, e o carro custou a pegar, é que reconsiderou o seu ato, perdeu a momentânea euforia — que besteira! E se a danadinha batesse com a língua nos dentes? Não! A pequena não era boba, era até bem sabida, logo se via. Mas se começasse a achacá-lo? — estremeceu. Não, não tinha pinta de pistoleira, a marafoninha. Em todo o caso, de onde menos se espera... E arrependido, amedrontado, sentindo-se infeliz, entregou tudo a Deus, muito fatalista.

Uma banho lava o coração! E havia água... Lavado, empoado, de roupa limpa, e desodorante nas axilas, afivelada a máscara para o carnaval doméstico, presidiu a refeição, servida meio à francesa, com algumas palavras forçadas e vagas sobre o perigo de certos falsos avanços sociais, falsos porque contrários à formação brasileira, de índole pacífica e cristã, palavras às quais a família dedicou ouvidos de mercador, cada membro interessado nos seus particulares problemas e todos ansiosos para que a refeição terminasse, como se intimamente lhes repugnasse o tom de comédia que representava. Reclamou, para dar impressão de zelo pela manutenção caseira:

— Que raio de café é este que vocês estão usando, Zulmira?

— O mesmo de sempre, Dr. Fifinho.

— Pois não parece!

Só após o jantar, e jantavam relativamente tarde, quando os filhos saíram para os seus respectivos programas e Iracema foi pegar uma segunda sessão de cinema em companhia duma vizinha da mesma idade e bitola mental — uma fita faladíssima! — Dr. Fifinho telefonou para Aldete. Poderia ter ido vê-la, como era freqüente, dando mil razões à esposa para as fugas noturnas, todavia não se animou a enfrentar naquele mesmo dia a presença da fácil empregadinha — seguro morreu de velho! é cedo para o criminoso voltar ao local do crime...

Telefonou, desculpando-se por não ter ido de tardinha assinar o ponto, alegando assuntos urgentes, assuntos que entraram pela noite adentro — estava se safando deles naquela exata horinha...

— Eu estranhei, coração. Fiquei até aflita! Por que você não telefonou? Ficaria tranqüila...

— Foi impraticável, filhota. Pensei que seria coisa rápida, mas fiquei preso, que a estopada rendeu, parecia que não acabava mais. Você sabe como são estas conferências...

— Pois fiquei te esperando, morrendo de saudades... (O coração dele bateu mais forte.) Saí, mas às cinco e pouco estava chegando, afobada, o tráfego estava de morte!

— Ah, você saiu? Por que não me avisou?

— Oh, querido! cansei de telefonar! Estava sempre em comunicação. Desisti, pois ia sair por um instantinho só. Dei um pulinho na costureira...

Tinha que engolir a pílula:

— Mais vestido, hem!

— Pudera! Estou quase nua! Ou você me quer maltrapilha? — e ela, sem esperar resposta, quis saber que assuntos tão urgentes o impediram.

— Política, meu anjo. Política.

— Uai!... você agora anda metido nisto?

— Não! Não é metido. Deus me livre e guarde! Cada macaco no seu galho... Mas é que a situação, vocês sabe, anda meio velhaca e o Vasconcelos precisava cá dos meus palpites e fomos discutir certas deliberações prementes na ACC.

— Que Vasconcelos é este?

— Você não conhece o Vasconcelos? — admirou-se, já que ela fora sua secretária durante mais de ano.

— Sei lá quem é! há tantos Vasconcelos no mundo! — retrucou, um pouco grossa.

Teve de explicar, inventar, colocando nas alturas o democrático cidadão — um camarada de ação e coragem, o cérebro dos Armazéns Compre Tudo e da ACC, elogios que Aldete recebeu com suficiente desinteresse. Disse ainda que tinha de ler uns papéis que trouxera para opinar (do outro lado da linha a vampirozinho sorriu, tanto o conhecia) e estava morrendo de fadiga. Mas prometeu que no outro dia iria almoçar com ela, sem falta!

— Tá! Mas então vamos comer fora para ventilar a cabeça. No Chinês. Está bem? É infernal!

Dr. Fifinho detestava a comida do Chinês, uma porcaria da sem nome! Porém ardilosamente aquiesceu:

— Boa idéia! Combinado. — E como sempre seria prudente dilatar o encontro com a empregadinha, propôs: — Eu telefono quando sair do escritório e você fica me esperando na porta.

— Certo. Então, uma beijoca e até amanhã! Se você não tiver mais assuntos urgentes...

Talvez houvesse alguma ironia nas palavras, mas encaixou-as direitinho, qual traquejado boxista:

— Ora, essas coisas não acontecem todos os dias, morena. Graças a Deus! E uma beijoca para você também.

Pousado o fone, tomou uma drágea sedativa e tratou de ir dormir — os ossos precisavam de cama — enquanto ela, livre e desembaraçada, em casa é que não ficou, uma ova! foi dar a sua badalada com um aviador civil da sua privada corriola, com camarões fritos na Barra da Tijuca e duas horas desvairadamente recreativas no discreto apartamentozinho dele. E, no dia seguinte, Dr. Fifinho almoçar foi no Chinês, conforme o prometido, e achou-a tão alegre, carinhosa, faceira, gulosa e inocente — você não acha bárbaro nós podermos estar aqui, juntinhos, gozando a vidinha? você não acha meu vestidinho lindérrimo? você não acha que galinha com amêndoas é um prato divino? — que, tonto, não sabia se tudo não passara de pura impressão de traição ou se a perfídia feminina era matéria sem limites e sem remédio. E, sob os influxos do agradável *tête-à-tête,* teria se esquecido do admirável Vasconcelos se não fora a sofisticada eficiência da secretária, que adorava comunicar-se com pessoas importantes — *Vips,* como ela dizia.

Vasconcelos começara como ativo pracista duma firma atacadista de cereais na Rua São Bento, morando em ínfima pensão do Catete servida por banheiro único e infecto e esporádicos percevejos no estrado com colchão de capim; crescera como testa-de-ferro de amplos investimentos estrangeiros, nem todos muito limpos, habitando casa decente alugada em Botafogo, já casado e com numerosa prole; presentemente a eles aliava vantajosamente os seus amealhados capitais, desfrutava severo palacete de sua propriedade, em centro de terreno, no Jardim Botânico, participava aberta ou ocultamente de várias empresas e geria com mão do mesmo metal a extensa rede dos Armazéns Compre Tudo, que explorava o *slogan* "Compre Tudo e Pague como Puder", e cuja propaganda na televisão era popularíssima pela série de programas humorísticos em legítimo estilo chanchada e por uma outra em que sorteavam-se milhares de prêmios, automóveis inclusive! Enérgico, realista, mais duro do que pedra com os empregados e os concorrentes, não tendo, em trinta e tantos anos de Rio, perdido de todo o simpático e pitoresco sotaque nordestino, distinguia-se ainda pelo supremo dom de encostar os interlocutores contra a parede, misturando convicção, arrogância, intrepidez e argúcia — uma lídima vocação de chefe. Facílimo foi, portanto, assustar o amigo e consócio com a tempestade bolchevista que via solta por aí, minando as instituições democráticas, ameaçando a propriedade privada, destruindo os alicerces da família, criando um furúnculo na América do Sul.

— Temos que espremê-lo, Rufino! Espremê-lo até sair o carnegão! E não pense que é tarefa fácil! Qual o quê. É preciso muito tutano! Os inimigos são perseverantes e traiçoeiros, não têm meias medidas, valem-se de todos os expedientes, são capazes de tudo! Se ficarmos frouxos, ouça o que eu digo, se ficarmos frouxos, acabaremos no paredão, meu caro, no paredão! Olha Cuba!

Viver, apesar de todas as mazelas e desilusões, é bom, e a perspectiva do paredão não é nada alentadora. Dr. Fifinho sentiu um leve calafrio percorrer-lhe a espinha, procurou tranqüilizar-se:

— Você não está exagerando, Vasconcelos?

— Exagerando, eu? — pulou. — Então você não me conhece? Sou lá homem para me assombrar com fantasmas? Você é que parece cego, Rufino. Não tem lido os jornais? os jornais decentes, bem entendido. Não tem visto a propaganda subversiva que espalham com o maior desplante nas nossas barbas? Não tem visto a ação do governo cheio de comunas? Eles estão preparando um grande comício com o pretexto das reformas de base, você vai ver, para deflagrar oficialmente a desordem, como se já não fosse oficial a que lavra por aí desabaladamente. Eu não sou contra as reformas, ninguém de bom senso é contra as reformas, nossa estrutura precisa de uma cabal reformulação, mas queremos que sejam feitas dentro da ordem, da moralidade e dos preceitos constitucionais. Na Constituição não se mexe! É sagrada! Não é só a Petrobrás que é intocável, não! Pois olhe, vão arreganhar os dentes no tal comício. Se estão blefando, pagaremos para ver!... Ah, ah, ah! E saberemos repicar o jogo com outro. Com outro, não, com outros! Que os deixarão de rabo quente! Com essa gente — e se tinha uma virtude era a da feroz sinceridade — não há que ter contemplação, não! Precisamos nos unir, nos mobilizar, e você também precisa estar conosco. Não é só dando dinheiro, não, é trabalhando, agindo, se dedicando, compenetrando-se do seu dever para com a sociedade, a Pátria — um por todos e todos por um! Deixa esta moleza, esta apatia! É com elas que eles contam para nos vencer. Mas não irão tê-las, posso jurar. Vão ter contra-ofensiva pela proa! Receberá seu dinheiro com juros, meu querido Rufino. Juros altos. Juros de tranqüilidade! Este país precisa trabalhar! Precisa paz porque só em paz se trabalha e se progride. Para que damos esmolas à Igreja? Não é pelos belos olhos dos padres, está visto. É para que ela se sustenha, subsista, vença a heresia e o materialismo, mantenha a ordem moral, sem a qual nada se constrói. É a mesma coisa. A mesmíssima! Gastamos para sobreviver! Para que nossos filhos sejam livres! Para que nossos netos sejam livres! Cada qual tem que entrar com a sua quota! E mandar brasa! — despediu-se.

O indeciso comandante de securitários reanimou a disposição belicosa:

— É isso mesmo! Conte comigo! É para valer! Vamos pra cabeça!

E, para início do papel militante, tratou com ostensiva frialdade o calado contínuo, que servia café, em quem pressentiu um inimigo embuçado — era o primeiro que desaparecia quando havia greves! — e traçou para a secretária um largo gráfico verbal, espinafrando galhardamente o Jango e a cambada que o cercava, da atual conjuntura político-social brasileira — delicadíssima! — que ela, trasandando a *Miss Dior,* aprovara com a cabeça e com os brincos espaventosos e compridos de roçar os ombros. Decidido a enfrentar a empregadinha, fossem quais fossem as conseqüências, e nada aconteceu para seu alívio, pois ela havia saído a mandados, pregou um sermão em regra a Aldete, engastando as candentes palavras de Vasconcelos na perona, como pedras preciosas, bisou-o em casa, ao jantar, enriquecido de mais contribuições pessoais, que espontaneamente lapidou. Aldete não só não bocejou, tal como acontecia quando, por acaso, ele discorria sobre negócios, como refutou-o agilmente em duas ou três oportunidades, perturbando-o um pouco, porquanto os argumentos do aviador civil, absolutamente contrários aos do novo miliciano, tinham maior poder de persuasão, mais finura explicativa e mais machiche nos intervalos. Os filhos acharam gaiato o intempestivo entusiasmo cívico, sem interrompê-lo, nem contrariá-lo, por não discreparem de tais idéias e até convictos adeptos se declaravam do boquirrotismo do Governador, que era quem mais teatralmente esperneava contra os desmandos federais e explorando um pretenso mas frustrado atentado à sua pessoa. Iracema, esta sim, aprovou-o, benzeu-se, rebenzeu-se, colaborou com casos que a vizinha lhe contara horrorizada e até arrebatou-se com o calor marital, surpresa que o encheu de um certo orgulho, chegando a admitir que a idiotice da cara-metade não fosse realmente total.

Garantido por forças do Exército, três mil homens, diziam, o comício, com o comparecimento presidencial, foi de arromba — faixas, cartazes, archotes queimando petróleo nacional, oradores inflamadíssimos, povo a perder de vista na praça imensa, sob uma tarde maravilhosa e uma noite de estrelas, como se o tempo quisesse ostensivamente colaborar na manifestação popular e o Presidente, do alto do palanque, com veemência, exigindo as reformas, ele que já encampara as refinarias particulares, sacudia diante do povo os decretos que assinara naquele dia memorável sobre a desapropriação de terras à margem das rodovias e ferrovias, como primeiro passo decisivo para a reforma agrária, e sobre o tabelamento dos aluguéis, que era um golpe de morte na exploração dos proprietários inidôneos. Os adversários tremeram nas bases — a profusa propaganda contra, as velas católicas mandadas acender, em sinal de protesto e luto, nas janelas indignadas, mais um ponto facultativo estadual decretado em cima da hora para esvaziar a cidade, o recurso da paralisação de certos meios de transporte na populosa Zona Norte e um que outro sino dobrando mais corajosamente a finados, tudo não parecera ter dado resultado e a praça transbordara, febril, ululante, desafiadora. Dr. Fifinho não escapou à tremura e interpelou Vasconcelos, a quem elegera seu oráculo político na desorientadora emergência:

— Tinha gente que não era brincadeira, meu velho! Falaram grosso! Estou vendo as coisas feias. O decreto sobre os aluguéis é fogo! E prometem outros...

— Ora, não se afobe, homem de Deus! Os decretos que vão para aquela parte!... Tenha fé! Tenha esperança! Só peço que não tenha caridade na hora H... Com vermelhos não há que ter caridade. É fazer como eles fazem onde põem as garras. E acalme-se, repito. Não estamos dormindo de touca... O tempo da chupeta já acabou. Espere pela volta. Vai ter volta, já te disse e repito. E vai ser de lascar! — Riu:

— Escolheram mal o dia... Sexta-feira, 13, é dia de azar... Vão pular que nem cabritos!

Dr. Fifinho era supersticioso, mas esperou arrefecido, algo desanimado, vendo o alvoroço bancário, o retraimento dos seguros, vendo o dólar subir a alturas nunca vistas, as cotações descerem aos trambolhões na Bolsa de Valores — ele que tinha um monte de ações próprias e conjugais! — vendo o decreto sobre aluguéis ameaçando os seus quatro apartamentos alugados, e com os inquilinos passando dinheiro por fora do contrato, desânimo que transmitiu à secretária: — Vamos entrar pelo cano! — dando tratos à bola para o caso forçado de adesão, que tinha que ser honrosa. E reencetou o intercâmbio camaradesco com Oripes, o contínuo:

— As reformas são necessárias... Temos que vencer a barreira do subdesenvolvimento...

— É sim, senhor.

— As condições do povo têm que ser melhoradas sem delongas. Combater o analfabetismo, elevar o seu nível de vida, acabar com as favelas...

— É sim, senhor.

— Há muita miséria! muita miséria mesmo!

— É sim, senhor.

— O Papa já definiu claramente a sua desassombrada posição no grave problema social e os nossos bispos já estão trabalhando ativa e corajosamente em prol das classes menos favorecidas...

— É sim, senhor.

Dr. Fifinho desistiu — daquele mato não saía coelho! Seguramente fora ao comício... Quem não fora? Estava duro de gente! E ordenou:

— Um copo d'água, Oripes. Mas bem gelada!

A reação, porém, não dormia de touca, como Vasconcelos catedraticamente anotara. Passados os primeiros momentos do impacto, a confiança voltou, os ânimos se revigoraram e se arregimentaram, e um movimento redentor começou a ser freneticamente articulado — imensa passeata de repúdio cristão à penetração comunista na cúpula do governo, na administração em geral, nas autarquias, sindicatos e, pior que tudo, no seio da tropa, passeata cognominada um tanto extensamente Desfile da Cruz e da Família pela Liberdade, no êxito da qual Dr. Fifinho não confiava nem um tico, apesar dos crescentes e públicos pronunciamentos favoráveis das mais ativas ou arquivadas personalidades:

— Não vai haver... Não há condições. É conversa fiada. Quem tem peito? — E acrescentou: — São uns poltrões! — como se fosse um poço de coragem.

A secretária corroborou nos reais temores:

— Estão com tudo, Dr. Rufino! Não vai ser mole, não... As armas estão com eles!

O contador-geral não é de idêntico parecer:

— Você se engana, menina! — mas, transparentemente, se dirigia era ao patrão tremelicante. — Pura ilusão! As Forças Armadas estão fiéis à Democracia. Mormente a Armada.

Dr. Fifinho irritou-se:

— Não vai me dizer que sabe de fonte limpa...

O contador-geral conhecia o seu degrau na escada:

— Perdão, Dr. Rufino! É uma questão de ponto de vista meu. E oxalá não esteja errado!

E na espera, a Semana Santa chegou, senegalesca e agitada. Logo na Quarta-feira de Trevas, a família dispersou conforme vinha sendo da praxe nos últimos anos. Ana Lúcia foi para a vivenda de uma amiguinha em Itaipava, com campo de vôlei e piscina — o filho do almirante iria para uma casa de campo ao lado; Rufininho bateu para Cabo Frio, muito em foco com a presença de Brigitte Bardot — andava começando a se interessar por pesca submarina e comprara alguns apetrechos caríssimos; Heitor aceitou o convite de um colega musical e guedelhudo, que tinha chalé no Alto da Boa Vista, para ensaios gerais do conjunto e composições de parceria; Iracema aproveitou a oportunidade para passar uns dias com a irmã viúva — Moema — na Gávea, uma casa tão triste que, segundo Ana Lúcia, bastava a gente pôr o pé na porta para imediatamente chorar! Dr. Fifinho é que resolveu ficar no domicílio mesmo, advertindo que a hora era grave e de sacrifícios, pretextando obrigações contraídas com o Vasconcelos — para a boa causa, frisava — e enfiou-se praticamente dia e noite no jeitoso apartamento de Aldete, que estreou uma bonita série de *baby-dolls,* já descuidado a respeito da empregadinha, que se mostrara nada vigarista, até rigorosamente discreta, chamando-o respeitosa e amiudadamente de Dr. Rufino — veja como a gente pode se enganar! E foi no adorável recanto, chupitando o seu uísque, que usava só puro com gelo, Aldete tão candidamente recostada no divã, lembrando-lhe um quadro que vira não sabia em que raio de museu! foi naquela paz que a indisciplina dos marinheiros do Arsenal o apanhou. Desarvorado, procurou telefonicamente Vasconcelos, e não foi fácil localizá-lo. Afinal, encontrou-o numa mesa de biriba a cem cruzeiros o ponto, na residência do Manuel Inácio, cavaleiro lusitano e um dos baluartes do truste dos antibióticos. O dínamo da ACC é vivo:

— Começou a derrocada! E inventada por eles mesmos. As Forças Armadas não podem aceitar de jeito nenhum a quebra da hierarquia e da disciplina. De jeito nenhum! É assunto basilar! Sem hierarquia nem disciplina não há Forças Armadas! Não há, aliás, nada! É o coringa que nós esperávamos para fazer a canastra...

Tranqüilizou-se, verdadeiramente tranqüilizou-se — ótimo! largou o fone e virou-se para a amante, que se conservara na mesma doce e grácil posição:

— A inana vai começar!

A distinta não olvidara as compridas conversas politizadoras do impetuoso aviador civil — onde estaria o bacano àquela hora? — e sorriu:

— Vai...

— Se vai... — e Dr. Fifinho, em cuecas, as pernas finas e arqueadas, o suor escorrendo pelo peito com pêlos já grisalhos, ingenuamente principiou a explicar.

Na Sexta-Feira da Paixão, e Zulmira correra as sete igrejas da devoção para beijar o Senhor Morto, parecia tudo debelado; o Presidente viera de São Borja, para onde se fora passar a Semana Santa, e resolvera a parada; a panela, porém, fervia por baixo do pano, tanto assim que se viu obrigado a recuar logo em seguida em determinadas decisões iniciais, o que equivalia a meia derrota ante os galões feridos das três armas. E no sábado de Aleluia, Dr. Fifinho, encafifado com o desfecho da insubordinação da maruja, mas certo de que a inana continuava, foi levar à Aldete o seu ovo de Páscoa, sob a forma retangular e verde de um chequezinho nada desprezível:

— Está contente?

— Contentíssima! — e bateu palmas, quase infantil. — Você é uma coisa!

— Que coisa? — riu.

— Um anjo caído do céu!

O varão mostrava-se generoso e estendeu à discreta empregadinha a sua liberalidade pascal — a virtude recompensada! — uma vistosa pelega, que ela empalmou com um compreensivo piscar de olho:

— Obrigadinha, Dr. Rufino. Boa Páscoa para o senhor também...

Era o seio de Abraão! Mas na segunda-feira houve a programada festividade dos sargentos e o Presidente, finalizando a rumorosa solenidade — Manda brasa! Manda brasa! — abriu fogo com canhão de longo alcance e grosso calibre. Dr. Fifinho, já reunido com a família, embora não toda presente, assistiu à discurseira de cabo a rabo pela televisão e era tal o canhoneio que novamente sentiu-se perdido, mas não apelou para o famoso Vasconcelos, pelo contrário, invectivou-o — matusquela! tapeador! não sabe de nada! E para Iracema, que não pescava patavina daquele falatório sargental, grunhiu:

— A coisa engrossou! Dez mil sargentos não é brincadeira! É fogo! Fogo na roupa! O homem está forte!

Não estava, gastava apenas os seus cartuchos, que logo viu serem de festim. A guarnição de Minas Gerais se levantou, acorde com o manhoso poder civil montanhês, resultado de sábia conspirata em que entrou muita gente até insuspeita. E os tanques e carros blindados sortiram dos quartéis para as ruas cariocas com fragor e aparato, o Presidente no Palácio das Laranjeiras querendo resolver a embrulhada e embrulhando-se mais, o Governador, mudo e entrincheirado no Guanabara pintado de novo, com uma linha de caminhões de lixo e carros-pipa barrando as cercanias, e os seus auxiliares desfechando tiros de guerra psicológica, adoudada balística que acertava e que removia posições. Soldados avançavam e recuavam, as notícias eram desencontradas. Foi uma noite de vigília cívica, um torneio de emissoras de rádio e televisão, por onde desfilava a verborréia dos antagonistas, Dr. Fifinho em casa, preso ao noticiário, com a candura de quem tivesse nascido ontem:

— É a guerra civil!

Não foi. Em 24 horas tudo estava resolvido com o II Exército dando o xeque-mate às margens do Ipiranga — é que o enigmático comandante, amigo pessoal do Presidente, entre a amizade e a Pátria, decidia-se pela Pátria! — o Presidente retirava-se, primeiro para Brasília, logo depois para lugar ignorado. O quartel-general da CGT foi desbaratado, poucos escaparam. Os Estados que não estavam na história se entregavam. Só no Rio Grande do Sul havia um foco de resistência, prontamente sufocado. Tudo acabou... Surgiu um novo Brasil, um Brasil zero quilômetro, conforme afirmavam os vencedores — sem um tiro, sem uma gota de sangue derramado, dentro da rotina brasileira. E de Norte a Sul, então, os sindicatos foram varejados, houve alguns incêndios e empastelamentos, as prisões não tiveram conta — o aviador civil, apanhado no Sindicato dos Aeroviários, ficou incomunicável e Aldete desesperava-se, banhada em pranto de dor e raiva — a denúncia passou a ser moeda de larga circulação, o medo instalou-se em milhões de corações, e já se falava em cassar mandatos e direitos políticos e o Alto-Comando é que regia tudo soberanamente. O Desfile da Cruz e da Família pela Liberdade, que andara para ser transferido ou cancelado, foi monumental, com chuvisco, céu pesado e Hino Nacional, meio milhão de salvadores da pátria, convictos ou aderentes não importa, mas meio milhão, o que forneceu ótima panorâmica para as objetivas da reportagem — e tome sinos, tome foguetes, tome lenços brancos, tome buzinas e sirenes, tome chuva de papel picado tombando dos arranha-céus como na Broadway!

Dr. Fifinho recolocou Vasconcelos no trono da sua admiração — é um crânio! um cabra safado! um bicho de visão! — e não queria deixar de ser visto, de participar em carne e osso da marcha da vitória:

— Todos nós temos que ir! — comandou em casa. — É um dia único na nossa História! Ficamos livres do comunismo. — E repetiu a frase de um líder direitista: — Deus é bom! Pela primeira vez a família se uniu, obedeceu coesa à sua voz, acreditando piamente que ele andara a par de tudo e de que muito eficazmente cooperara para o feliz resultado.

— Acha que devemos levar velas? — timidamente perguntou Iracema, contemplando o discreto herói e liberta da tremenda dor de cabeça que a assaltara na confusão.

— Não. É exagerado — retrucou como um perfeito mestre-de-cerimônias.

— É muito jeca! — acrescentou Ana Lúcia para fortalecê-lo.

— Tem toda a razão, minha filha! — aplaudiu ele. — É muito jeca!

E foram todos, inclusive a curiboca Odaléia, dispensada com magnitude:

— Vá com Deus! Comeremos na rua. — E para os seus: — Hoje a função é no Bife de Ouro!

Somente Zulmira não foi. O apartamento não podia ficar sem ninguém — os ladrões andavam à solta, assaltando e matando. Fechou bem as portas, certificou-se que estavam bem fechadas, esteve um pouco à janela vendo o povo passar, entre risos e aclamações, depois recolheu-se ao quartinho, onde a imagem de São Jorge, pavorosa, coitada! tinha destacado lugar, e, mais cedo do que costumava, desfiou o rosário, que Dr. Fifinho trouxera de Roma, como era hábito noturno. E dormiu com o coração em paz — cedinho teria que ir à sua missa.

ACUDIRAM TRÊS CAVALEIROS

Quem, por mera curiosidade, perguntar a um filho de Guarantimba — e todos orgulhosamente o são — quantos habitantes tem a cidade, receberá imediata e convictamente a resposta: — Quarenta mil!

Realmente tem dezoito mil. E toda a população do município, com seus três prósperos distritos, infelizmente servidos por péssimas estradas municipais — Guarantindiba, Guarantá e Limoal — não vai além de vinte e cinco mil almas, da qual a metade, lamentamos acrescentar, não sabe ler. Mas não é inverdade bairrista o cognome que lhe puseram os guarantimbenses e largamente se espalhou — "Pérola do Passarinho" — pois ao longo do Rio Passarinho, só navegável por caíques, tão cheio de curvas quanto de lambaris, e que corta a cidade em duas partes desiguais, ligadas por duas pontes, a primeira velha e metálica, a segunda, nova e de cimento armado, não há outra mais bela e progressista, não há, e para lá acorrem muitos casais em lua-de-mel das cercanias para gozar dos seus renomados esplendores. Famosos são o Largo Coronel Mendonça, com fonte luminosa que funciona nas noites de sábado, domingo, dias santos e feriados e mais conhecido é por Largo da Matriz, e a própria Matriz, em arrojado estilo moderno, que a princípio sofreu severas ou irreverentes críticas, a torre semelhando bala de canhão, o telhado de cobre escorrendo azinhavre, a fachada com um imenso painel de azulejos, obra de consagrado artista nacional, que afugentaria o diabo se ele tivesse a petulância de aparecer por aquelas católicas bandas. Famosa é a Praça Rui Barbosa, que lá fez memorável discurso ao tempo da histórica pregação civilista, e daí o crisma, porquanto primitivamente se chamava Praça Dr. Lopes Magalhães, ilustre varão, responsável pela propaganda abolicionista e republicana naqueles sítios e que, jamais esquecido, passou a ser nome de grupo escolar; retangular, espaçosa, tendo num dos cantos as três gameleiras que milagrosamente escaparam à sanha de um administrador inimigo de árvores, é o palpitante coração da urbe, com cinco movimentadas agências bancárias, dois cafés, o bar-bilhar demasiadamente barulhento pelas gargalhadas dos freqüentadores e pelo fanhoso alto-falante que sobre uma das suas portas se instalou, com "A Brasileira", de Fuad & Fuad, loja que vende desde o modesto alfinete até a cobiçada geladeira de 12 pés cúbicos, com o Clube Guarantimbense, círculo de reunião da fina flor da sociedade para danças mensais e carteado diário, e mais o Hotel Guarantimba, grande de sessenta quartos, todos com chuveiro, ponto predileto dos caixeiros-viajantes que percorrem a zona, o cinema-teatro bem pouco visitado por companhias itinerantes, uma concha acústica onde por vezes galhardamente se exibe a Banda Filarmônica Carlos Gomes, regida pelo maestro Fidó, conspícuo continuador da saudosa batuta do maestro Picorelli, italiano de nascimento e sapateiro de profissão; e ao centro, cercada por redondo canteiro de agressivas coroas-de-cristo, ergue-se a herma de um notável e extinto chefe político talhada em bronze imortal. Famoso é o Hospital Santa Rita de Cássia, que possui a mais moderna aparelhagem de raios X, adquirida diretamente nos Estados Unidos, Meca de obrigatórios e algo desgraçados diagnósticos em vinte léguas ao derredor. Famosos são o Mercado Modelo e a Estação Rodoviária, tais como a Matriz, em estilo moderno. Famoso é certo bairro residencial à sombra da pedreira, bairro dos potentados, é claro, império do luxo arquitetônico, com ousadias modernistas em meio aos bangalôs e mais de dez piscinas rigorosamente particulares. Famoso é o seu parque industrial, que já dá trabalho a cerca de oitocentos operários e empregados diversos: a fábrica de pregos, a usina de açúcar, a fábrica de macarrão, a fábrica de balas, a fábrica de papelão, a fábrica de tecidos de algodão, a serraria, a olaria, a fábrica de cachaça Sete Estrelas, um primor de pureza, tida e havida como inigualável aperitivo, para só falar dos principais estabelecimentos.

Essa eloqüente grandeza industrial não se criou de uma hora para outra — foi paciente e refletidamente construída em quase duas décadas. Iniciou-se por ocasião da Segunda Grande Guerra, quando o clarividente pioneirismo de alguns capitalistas locais, antes inteiramente dedicados a hipotecas e empréstimos sob promissórias a juros unanimemente considerados escorchantes, dotou a paróquia com a fábrica de pregos, comprovada a escassez do material no mercado estaduano. Veio depois a usina de açúcar, após descobrir-se que as aprazíveis várzeas do Passarinho, além de magníficas para a caça de capivaras e galinhas-d'água, eram propícias à cultura da cana e os extensos canaviais daí em diante vieram, em certos trechos, disciplinar a tropical e desordenada paisagem. Seguiu-se a fábrica de macarrão, quando um inventivo cérebro paroquiano imaginou reduzir o preço da manufatura, sem diminuir o da venda, ajuntando uma alentada porcentagem de farinha de mandioca ao trigo importado, batizando o excelente e patriótico produto com o nome comercial, registrado, de Macarrão Vitória, em iniludível homenagem aos Aliados, e cujo consumo rapidamente se estendeu às cidades e vilas vizinhas. O mesmo inventivo cidadão, aliás natural de Trás os Montes, montou a fábrica de balas Passarinho, coloridas como o mais colorido beija-flor e delícia da gurizada roceira, habilmente aproveitando a produção da usina açucareira, da qual os cunhados do idealista eram sócios majoritários e ele mesmo tinha lá uns cobrinhos. E ano não se passava que nova indústria não se incorporasse, sempre dos capitais dos mesmos cavalheiros, até atingir a plenitude fabril que esmagava de inveja os outros centros urbanos da região e repercutia vantajosamente por todo o Estado e até fora do Estado como é o caso daquela revista carioca que dedicou oito páginas de ilustrada louvação à terra guarantimbense, mediante módica subvenção.

Quem não quiser desagradar a um guarantimbense, jamais diga que Guarantimba é quente no inverno e quentíssima no verão — fere profundamente os sentimentos, provoca reações até pouco corteses, tão seguros estão da amenidade do clima. Mas dá-se que esta condição termométrica do plano senegalesco faculta tanto uma certa modorra ao meio do dia, responsável pela imensa quantidade de redes, quanto uma fácil esquentação de cabeças em assuntos políticos, que em épocas venturosamente passadas tinham muita solução pelo ronco dos bacamartes. E o parque industrial, embora trazendo prosperidade e renome para o burgo, veio contribuir para que as cabeças mais se esquentassem, pondo em jogo aberto a questão social. O que era pacífica situação patriarcal passou, paulatinamente, a ser agitação antipatronal. A inquietação entrou a lavrar no seio do proletariado, aumentou, tomou perigoso caráter reivindicatório. Não adiantou a artimanha de fundar a Cooperativa 1.º de Maio, que barateava o feijão e a carne-seca do proletariado. Não adiantaram os panos quentes do Lactário Isabela Mendonça, que entrou a distribuir graciosamente leite às criancinhas, cujo altíssimo índice de mortalidade era resignadamente recebido como vontade do Céu. Não adiantou dotar de arquibancadas condignas e de perfeito gramado o campo do Esporte Clube Operário — o glorioso ECO! — nem de se contratar no Rio, para o adestramento dos jogadores, os bons ofícios do técnico Ramirez, que já fora campeão em Buenos Aires. Nada adiantou porque Genésio Gramacho, arvorado em agitador vermelho, acendia os ânimos dos operários tal como um abano mantém vivas as brasas de um borralho. Mulato disfarçado, filho natural de um fazendeiro que já velho se mudara para o Paraná e nunca mais se soubera dele, Genésio Gramacho tinha a pinta de condutor de massas — verbo fácil, ação subreptícia, capacidade de lidar com o zé-povinho. Trabalhar mesmo, nunca trabalhara — vivera de biscates; concluído o curso ginasial, prestara serviços redatoriais à situação, muito fluente e metafórico nos discursos, alistara dezenas de eleitores que mal sabiam garatujar o nome, conhecera o município palmo a palmo, acompanhara os chefes em certas visitas à capital do Estado, onde conseguira fazer amizades, e assim facilitava as gestões dos mais broncos ou desajeitados. Passado para trás em certas pretensões a um cargo de fiscal de obras públicas, que acabou sendo dado a um primo do Prefeito, rompera com a situação e, aproveitando o crescente aumento do proletariado, pusera a defender-lhe as causas e necessidades, incentivando os sindicatos, aos quais conseguira imprimir mais vida e eficácia, e em pouco agia como verdadeiro representante da pobreza.

— Este sacana está precisando de entrar numa surra! — prometia o líder das classes conservadoras, investido pela segunda vez no cargo de Prefeito, o popular Zéfredo, José Alfredo de Mendonça, neto do Mendonça do Largo.

A iniciação de Zéfredo, temos que dizer, não fora política, fora esportiva, relegando os livros do ginásio pela bola. Agilíssimo no tratamento da pelota, tornara-se em invencível atacante do Olímpico Atlético Clube, terror dos adversários do Vale do Passarinho, até que um beque do Independente, de Varzeópolis, aplicara-lhe tal sarrafada que o alijara da prática do esporte. E encerrada a carreira futebolística, não tendo outras aptidões, valeu-se do nome de família e inteira e devotadamente se dedicara à política de campanário.

Prometia a surra, mas não a cumpria, apesar dos contínuos oferecimentos de Calambau, pardavasco e guarda-costas, com alto prestígio nas pensões alegres da cidade. É que os tempos haviam mudado, os bacamartes haviam sido encostados, o poder do povo ganhava altura, amparado por leis trabalhistas, estribado em tribunais que nem sempre era possível corromper — precisava-se agir com calma. E Genésio arrotava força nos cafés da Praça Rui Barbosa, nas rodinhas do bar-bilhar, nos sindicatos cada dia com mais associados. Conseguida com esperteza, tinha nas mãos uma máquina tremenda — A VOZ POPULAR — principalmente depois que metera na redação uma rapaziada meio literária e totalmente desabusada, que não se conformava com o reacionarismo dos donos da cidade e insuflava greves nas colunas do jornal. O GUARANTIMBA, folha oficial da Prefeitura, sem diretor competente, com dois redatores fossilizados, sem a publicidade que o outro angariava, com minguados assinantes, não podia oferecer resistência à oposição firme de A VOZ POPULAR. Na última eleição quase iam perdendo. Perderam mesmo, e assustadoramente, na sede do município — se não fosse o dinheirão que derramaram em Guarantá e Limoal, mais a pressão que com o subdelegado exerceram em Guarantindiba, teriam entrado pelo cano! Uma sucessão de desgraças despejava-se em cima deles. O 13.º salário — aquela pouca-vergonha! — esvaziava os cofres. De meia centena de processos instalados contra empregados, ou pelos empregados, e recorridos ao Tribunal Superior do Trabalho, no Rio, não ganharam um só! e ainda foram esculachados por um ministro! Do Imposto de Renda caíra, como chuva de gafanhotos, uma série de autos de infração, que o Delegado local, amigalhão na gaveta deles, não conseguira evitar e foi uma bombada de mais de três milhões em multas! Os domingos, quando saía A VOZ POPULAR, vinham sendo dias de desespero para Zéfredo, em particular, e para os correligionários em geral — o artigo de fundo era de arder! os ferinos e ridicularizantes sueltos de deixar todos zonzos! E como se não bastasse, nos últimos meses, pontualmente quinzenal, estava sendo distribuída, gratuita aos operários e a quem mais quisesse, A AÇÃO DEMOCRÁTICA, pasquim de quatro páginas ferozes, redigido por jovens conterrâneos que estudavam no Rio, cotizados para imprimi-lo, turma vermelha que esclarecia o proletariado, denunciava explorações, ditava diretrizes e zurzia as classes produtoras de Guarantimba, não poupando nem a família de alguns, como aquela insuportável insistência com que se insultava a cunhada do deputado estadual Magalhães, neto do Magalhães do grupo escolar, reconhecidamente dadivosa.

E se as coisas andavam pretas, mais pretas ficaram quando, depois do Plebiscito, o Presidente Jango deixou-se envolver completamente pelas correntes extremistas, cercando-se de declarados e manjados comunistas, como toda gente boa de Guarantimba sabia. Ameaçavam a segurança do anonimato bancário, davam mão-forte aos sindicatos, os dissídios coletivos eram concedidos aos montões, acenavam com a Reforma Agrária, que retalharia os latifúndios, ora a força, ora a preço de mel coado, formavam-se Ligas Camponesas e Grupos de Onze, treinados por agentes cubanos, para intimidar os proprietários rurais, invadir as suas plantações, chaciná-los sem piedade; a sargentada se assanhava, até certos padres andavam de braço dado com a canalha comunista — um fim de mundo!

Mas se pensavam que o democrático povo de Guarantimba ia entregar a rapadura assim sem mais nem menos, estavam muitíssimo enganados! Zéfredo recebera precisas informações e determinações superiores — organizava-se a reação e para valer! Que se preparasse também. E começou a fazê-la com excitação. Percorreu o município se entendendo com os alarmados chefes políticos e fazendeiros, abriu listas de socorro urgente e com o produto delas comprou e distribuiu armas, mobilizou gente. E como a rádio difusora estava nas suas unhas, jamais os alto-falantes, multiplicados pela cidade e pela zona rural, rugiram mais fortemente contra o perigo vermelho, o assassinato dos honrados pais de família, o estupro das damas, a violação das donzelas, o assalto aos bancos, a desapropriação das casas, a profanação das igrejas! E, depois duma demorada conversa com o vigário, pôs na rua uma procissão, que, com pelotões de quatro fiéis de vela acesa na mão, ia da igreja do Rosário até a Estação, extensão que levou o advogado Oliveira, discretamente incluído entre os adversários, a comentar, coçando o queixo:

— É povo que não é brincadeira! Não é mole derrubar tantos séculos de misticismo e servidão.

Em contrapartida, Genésio Gramacho promovia passeatas e comícios na Praça Rui Barbosa e na Praça Getúlio Vargas, que ficava perto do Matadouro, paraíso dos urubus, distribuía volantes conclamando o povo a se reunir contra os usurpadores, e recebia apreciáveis adesões, mantinha os sindicatos em reuniões permanentes, organizava brigadas de choque e comissões estudantis — a Escola Técnica de Comércio estava toda com ele — enchia o ar de foguetes retumbantes a cada notícia alvissareira que chegava do Rio, epicentro dos nacionais acontecimentos.

Zéfredo, recebendo um misterioso telefone de São Paulo, para lá incontinenti se dirigiu, acompanhando-se do pardavasco Calambau, e com ele se revezando no volante do Aero-Willys. Voltou logo, de ânimo erguido, com um rol de providências, muita esperança de breve vitória, pois estava se tramando uma conspiração já com francos e decididos apoios, e mais a informação de certa lista de fuzilamentos, apanhada numa devassa que a polícia secreta paulistana fizera num foco esquerdista.

— O "paredão" irá funcionar se não arrebentarmos com esses miseráveis! — declarou enfaticamente à grei reunida no seu escritório. — Vi a lista. São páginas e páginas.

— Leu toda?

— Não, é claro! Seria mesmo que ler uma Lista Telefônica do Rio de Janeiro... Mas dei uma olhada geral e demorei-me no que nos toca diretamente. É gente pra burro!

— Eu estou na lista? — quis saber o deputado estadual Magalhães, não disfarçando o egoísmo e o temor.

Foi impiedoso e sarcástico:

— Exatamente na letra M.

O nobre representante do povo guarantimbense sentiu um arrepio correr-lhe pela espinha, bastante flexível.

Foram dias confusos, nervosos, movimentados, os populistas soltos na cidade como diabos assanhados, os outros mais confiantes nas perspectivas da luta que lá fora se travava, dado que o governicho populista avançara demais. A noite de 31 de março culminou de agitação e incertezas, tão desencontradas eram as notícias que o rádio espalhava, já que a televisão não atingia Guarantimba, dizem que por incompetência de um técnico, apaniguado de Zéfredo, que levantara, através de grossa subscrição, uma altíssima antena no cimo do morro da Piedade e ela não captava senão uns rabiscos luminosos. No outro dia, porém, tudo se esclarecia — a revolução vencera! — e o populacho enfiou o rabo entre as pernas, e as forças burguesas voltaram a dominar.

Estava na hora da desforra! Zéfredo enfiou as botas, afivelou a cartucheira na cintura, armou-se com um velho Colt, reuniu a Câmara Municipal e cassou os vereadores da oposição usando dos dispositivos do Ato Institucional, procedimento que o Juiz de Direito mansamente engoliu como legalíssimo. Transformando a Prefeitura em Quartel-General das vitoriosas forças revolucionárias, daí fez sair as suas patrulhas punitivas em grupos de mais de onze, pois a sua gente, que estivera meio encolhida, compareceu unânime e vingativa.

— Vão comer o pão que o diabo amassou! Com José Alfredo de Mendonça não se brinca!

E não brincava mesmo. Estava feroz. Empastelou A VOZ POPULAR, quando a Rua Sete de Setembro assistiu à crepitante fogueira de alguns cacarecos redacionais e de um monte de papelório, e, levado pelo mesmo delírio incendiário, vasculhando a Livraria e Papelaria Progresso, incinerou uma centena de livros que considerava subversivos; interditou a Escola Técnica de Comércio, fechou os sindicatos, dissolveu as brigadas de choque, os Grupo de Onze, as comissões de estudantes; entendeu-se com os diretores das fábricas, que despediram sumariamente um respeitável lote de operários e empregados que lhes davam dores de cabeça, distribuiu homens armados por vários pontos e estabelecimentos da cidade, policiou as estradas de rodagem, pintou o caneco! As prisões foram numerosas e sem resistência, exemplarmente espancados vários agitadores mais ativos e odiados. O marceneiro João Almeida Militão protestava inocência, o tecelão Xanduca, tão exaltado antes, incitador de tanta greve, caiu em pranto, ajoelhou-se pedindo clemência, e ambos foram arrastados para a Cadeia, cujo deplorável estado de conservação, uma verdadeira pocilga, não condizia com os foros civilizados de Guarantimba. Mas todos os encarcerados eram peixes miúdos em relação a Genésio Gramacho. Precisava pegá-lo logo — tinham contas a ajustar!

Não foi fácil, embora a denúncia rolasse franca, e somente ao terceiro dia de incansável procura era encontrado — estava escondido na casa de Neco Fogueteiro, que havia caído no mato aos primeiros minutos da derrota. A mulher de Neco, barrigão de oito meses, botou a boca no mundo, levou uns encontrões, acabou se calando e o homiziado foi conduzido para a Cadeia, levando no meio dos improvisados patriotas o ar majestoso de um Tiradentes sem barbas.

— Agora é que vamos ver se você é macho só no nome! — gritou-lhe Zéfredo. E como precisava desmoralizá-lo completa e publicamente, virou-se para Chico Prata: — Arrume um penico.

O penico rapidamente apareceu e o próprio Chico Prata, crioulo e carroceiro da Limpeza Urbana, encarregou-se de enchê-lo discreta e moderadamente.

— Beba, filho duma égua! É mijo de homem!

Chico Prata riu, lisonjeado, e Genésio, que já fora posto nu, como os demais prisioneiros que se misturavam com os andrajosos detentos, retrucou:

— Logo se vê que não é seu...

Chico Prata escondeu a alegria da confirmação dos seus méritos masculinos e Zéfredo enfureceu-se:

— Beba, cachorro!

O preso olhou-o com superioridade, não respondeu. E Zéfredo comandou:

— Calambau!

O pardavasco, que já esperava pela deixa, desceu o rabo-de-tatu no lombo do agitador — lambada de chiar! Genésio gemeu e outras se seguiram com mais vigor e pontaria. Lá pela décima, Genésio arriou, desmaiado. Chico Prata atemorizou-se:

— Ele morreu, Seu Zéfredo!

O valente Prefeito não se alarmou:

— Água fria neste calhorda!

A água não era fria. Era uma água de abril em Guarantimba — morna. Mesmo assim deu para despertar o desacordado.

— Bebe ou não bebe? — rugiu o ex-atacante do Olímpico Atlético Clube. E repetiu, possesso: — Bebe ou não bebe? Bebe ou não bebe?

Perdido por perdido, Genésio Gramacho fez valer a velha honra jamais enxovalhada e, pelo menos, seria um exemplo para os pósteros guarantimbenses:

— Dá pra sua mãe!

Entre os presos correu um contido frêmito de orgulho — era machão de verdade! O algoz estava lívido:

— Mais rabo-de-tatu, Calambau! Acabe com este desgraçado!

Neste exato momento parou uma viatura à porta da Cadeia. Era um jipão com chapa branca da GB. Desceram três oficiais, farda do Exército, farda de campanha, armados, um deles com metralhadora na mão pronta para ser descarregada. Subiram a escadinha de pedra, entraram marcialmente na sala, quando Genésio, que levara mais umas cinco forçudas chibatadas, caiu esticado, duro, a fio comprido, no chão gasto e sujo de ladrilho, as costas roxas de sangue pisado.

O mais alto dos oficiais avisou com voz forte:

— Ao menor movimento levam bala!

Ninguém se mexeu e não eram poucos os que estavam lá. Ele ordenou:

— Tenente Walfrido, desarme este homem.

Zéfredo deu um passo à frente:

— Sou o Prefeito!

— Não estou perguntando quem é. Aqui só se fala quando eu perguntar. Desarme-o, tenente.

Zéfredo foi desarmado e estava meio tonto com o acontecimento.

— Tenente Adelmar, desarme este cabra aí de chicote.

Calambau foi despojado do trabuco e do chicote. O militar dedicou-se a Genésio caído:

— Você aí, socorra este homem.

A ordem era para Chico Prata, que ainda estava parvamente com o penico na mão. Largou o vaso e debruçou-se sobre o ferido com carinho subitamente maternal:

— Genésio, Genésio, sou eu...

E o prepotente intruso dignou-se, então, a fazer a sua apresentação:

— Capitão Arquimínio Dourado. — E apontando os companheiros: — Tenente Walfrido Matoso e Tenente Adelmar Siqueira Lemos. Por ordem do Alto Comando Revolucionário. Houve informes sobre as inúmeras irregularidades e tropelias verificadas na cidade e aqui estamos encarregados de restabelecer a ordem, impor a legítima autoridade revolucionária, tranqüilizar a população, garantir os direitos dos cidadãos. A Revolução — e enchia a boca — não pode admitir tais processos indignos de homens de bem. Veio precisamente para salvaguardar os Direitos Humanos. Será que não têm vergonha dos inqualificáveis atos que praticaram?

Não teve resposta e prosseguiu:

— Quem comanda o destacamento policial?

Cabo Galo, de crista baixa, adiantou-se:

— Eu, capitão.

— Perfile-se! E abotoe a túnica!

Cabo Galo perfilou-se, abotoou-se. O capitão perguntou:

— Como se chama?

— Galo. Cabo José Galo.

— Acho que é galinha. (Houve risos espremidos.) Quantas praças tem?

— Oito.

— Só vejo quatro.

— Estão de serviço na rua. Recebi ordens.

— Imagino que serviço!... Quero-os todos aqui sem demora. Para receberem ordens decentes. Quem dá ordens agora aqui sou eu! E ai de quem piar!

— Sim, capitão. Vou chamá-los.

— Não há um sargento instrutor no Tiro de Guerra? Onde está?

Zéfredo aventurou-se:

— Está detido na Prefeitura. Atuava como elemento subversivo. Achei prudente detê-lo.

— Detido?!... Quem é você para deter um sargento do Exército?! Quero a imediata presença dele. Irá assumir o comando do destacamento policial. Você, cabo, ficará à minha disposição. Anda, vai em frente!

Cabo Galo partiu como um pé-de-vento. O capitão continuou mandando:

— Vejam as roupas dessa gente toda. Não quero ninguém pelado aqui. Nem um minuto mais! Bonito espetáculo!

Parece um *strip tease!* Vamos, cabra! — e dirigia-se a Calambau — vá tratando disso. Na prisão só fica quem estava cumprindo pena. Soltem o resto. Onde está o escrivão?

Juruena apresentou-se, borrando-se de medo:

— Sou eu, capitão. Antônio Juruena, um seu criado.

— Tome o nome de todos e mande-os embora. Depois serão chamados para interrogatório.

Calambau não perdera um segundo — apareceram as roupas, a porta de ferro do xadrez fora aberta, os presos começaram a se vestir, procurando os seus trajes misturados na pilha de roupas que o capadócio jogara no chão. Zéfredo seguia-o, furioso, com os olhos — mulatão de merda!

— Você aí, praça — e o capitão apontou um suado e espandongado soldado —, reviste este cabra.

Calambau parou como uma estátua e o soldado, um tanto timidamente, foi tirando coisas dos bolsos dele — cigarros, fósforos, a carteira de dinheiro, um canivete de duas lâminas...

— Dê a carteira e o canivete aí ao Tenente Adelmar. Estou vendo que a carteira está recheada... Muito bem. Devolva os cigarros e os fósforos. Irá precisar... Muito bem. Agora trancafie este bicho na solitária. Vai responder a processo por sevícias.

Genésio se reanimara, sentado fora, amparado por Chico Prata e outro sujeito, num banco comprido e sem encosto, que havia a um canto da sala, e com dificuldade vestira a calça. O Tenente Walfrido falou:

— Não acha bom chamar um médico para examinar o espancado, capitão? O estado dele é lamentável.

— Bem lembrado. Chame-se um médico. Atenderá o homem e fará o laudo pericial para dar início ao processo. — Acercou-se do banco: — Como é seu nome?

— Genésio Gramacho.

— Vai haver justiça, Genésio Gramacho. — E, voltando-se, emendou: — E não há delegado nesta terra?

Macedinho, cumpincha de Zéfredo, esclareceu:

— Quebrou a perna e umas costelas há uns quatro dias, num desastre de jipe, e está no Hospital engessado.

— Pois fique lá. E o Juiz de Direito?

— É o Dr. Estêvão Costa — informou Macedinho. — Está em casa.

— Pois vá lá intimá-lo para comparecer à Prefeitura com urgência. Fique nos esperando. Lá chegaremos. E que ele vá convocando os vereadores para uma sessão extraordinária. Sei que houve cassados. Continuarão cassados.

Zéfredo respirou aliviado:

— Eu cassei-os dentro dos dispositivos do Ato Institucional.

— Cale-se!

Zéfredo enfiou a viola no saco e o capitão caprichou no pausado:

— Os suplentes serão empossados e o vice-prefeito assumirá a direção da Mesa. — Encarou severamente Zéfredo: — Você não é mais prefeito. Está preso por determinação do Alto Comando Revolucionário. Por muito favor ficará detido na Prefeitura. Para lá irá conosco.

Houve sorrisos, Zéfredo desejava a morte. Aí chegava, esbaforido, o sargento instrutor, já a par do extraordinário sucesso, contado e aumentado pelo Cabo Galo no trajeto, e diante da Cadeia encontrava um povaréu aglomerado, que rompeu a empurrões:

— Pronto, capitão! Sargento Cabral, às suas ordens!

— Onde está o quepe?

— Ficou em casa quando fui preso. Me levaram à força. Um ato de violência! Para seu governo, capitão, há outros detidos na Prefeitura.

Fingiu-se surpreendido:

— Outros?!...

— Sim. Estudantes e professores do Ginásio e da Escola Técnica...

— E quem os vigia?

— Uma capangada que Seu Zéfredo arrumou em Limoal. Um povinho triste. Mas que já ficou de pulga atrás da orelha quando o cabo foi me soltar...

— Pois que fiquem detidos mais um pouco. Lá iremos depois. Tudo vai a seu tempo. Nada de balbúrdias. Basta a confusão que já houve. Quanto à capangada e aos mandantes, terão o seu prêmio, o seu prêmio, deixa estar... — Buscou Zéfredo com os olhos espertos: — Você me saiu melhor do que a encomenda... — E prosseguiu se entrosando com o sargento: — Mande buscar o quepe. E mande trazer seu armamento também. Vai comandar o destacamento.

A alegria estampou-se na cara do inferior:

— Perfeitamente, capitão.

— Acho que dispõe de poucos homens. Precisamos de mais. Temos que manter a ordem em todo o município. Não conhece pessoas de confiança, que possam servir como voluntários?

— O Vespasiano, capitão. É pessoa de toda confiança.

— Que faz ele?

— É tintureiro.

— Chame o tintureiro, arme-o e que fique ao seu serviço. Mas um só é pouco. Não há outros também capazes? Na rapaziada do Tiro de Guerra não encontraria mais gente habilitada e leal?

— Sim, capitão, há rapazes muito bons soldados. O Luís Cláudio, o Jacir, o Douglas, o Lelé Gonzaga...

— Então ponha todos em função. Distribua armas e munição. E que aguardem ordens aqui do Tenente Adelmar. O policiamento ficará sob a responsabilidade do Tenente Adelmar.

O médico chegava, de blusão, suadíssimo, examinou prontamente Genésio.

— Capitão...

— Arquimínio Dourado.

— Capitão Arquimínio, o paciente não parece inspirar cuidados maiores. Não apresenta sintomas de fraturas ou de lesões internas. Contudo acho de bom alvitre interná-lo no Hospital para observação menos perfuntória. O choque emocional foi profundo. E as equimoses poderão ser tratadas para não doerem tanto.

— Tem toda a razão. Que seja internado. Mas quero o laudo pericial com presteza, doutor. Assinado por três médicos.

— Constituirei uma junta, capitão.

— Obrigado. E mande o relatório logo em seguida cá para o escrivão.

— Logo em seguida mandarei.

Genésio, amparado pelo médico e por Chico Prata, as pernas trôpegas, corcovado, foi conduzido para o Hospital e, ao passar por Zéfredo, deitou-lhe um olhar que o inimigo recebeu, humilhado, batido, como mortal punhalada.

— Ufa! que calorzinho faz nesta terra! É de lascar! — exclamou o Capitão Arquimínio indo se sentar na cadeira com almofada do delegado: — Mas com calor ou sem calor, vamos às operações! Já estão atrasadas... Tenente Walfrido vai com quatro praças embaladas à Companhia Telefônica. Antes de ordem em contrário, nenhum telefonema para longa distância pode ser dado sem minha expressa autorização. Quanto a ligações de fora não devem ser em absoluto completadas, salvo se forem para mim ou para os tenentes. Que a telefonista nos procure onde estivermos! Nem será difícil, creio.

— Em caso de qualquer desobediência ou relutância, capitão? — perguntou o tenente.

— Prisão ou fogo! Como achar melhor.

— Assim será.

— Bem. Deixe um soldado na Telefônica, que a seu tempo será rendido. Sargento Cabral cuidará da medida. Depois o Tenente Walfrido irá ao Correio e Telégrafo. As determinações são idênticas. Antes da oportuna liberação, nenhum telegrama será expedido sem o nosso visto. E os que chegarem passarão por nossa vista, antes de serem entregues. Para desafogo e metodização do trabalho, acho mais prático que tal incumbência fique inteiramente sob a sua responsabilidade, tenente. Verá como pode fazer as coisas da melhor maneira.

— Não há embaraço, capitão. Resolverei o problema.

— Deixe um soldado lá também. Em seguida vá para a Estação Rodoviária. Estão suspensas as viagens até depois de amanhã. Que nenhum ônibus saia, mesmo vazio. Quanto aos passageiros que chegarem, sejam identificados na Estação. Explicando mais claramente: a cada ônibus que chegue, faça-se a identificação rigorosa dos passageiros e que a lista seja imediatamente remetida cá para o Sargento Cabral. Está entendendo, sargento?

— Completamente!

— Vespasiano poderá lhe ajudar.

— Eu cá me defendo, esteja tranqüilo, capitão.

— Muito bem. O Tenente Walfrido já compreendeu que deve deixar um soldado na Rodoviária?

— Claro, capitão.

— Então dali o tenente irá à Rádio. Altere a programação. Ao chegarmos constatamos o mundo de vitupérios que estava sendo dito ao microfone. Vitupérios e sandices! Nem uma palavra mais! Somente serão irradiadas músicas, de preferência patrióticas. Marchas, dobrados, coisas assim... Elaboraremos mais tarde dois ou três comunicados diários para serem transmitidos em horário também estabelecido. Vamos organizar um comitê de redação. Apelaremos para alguns jornalistas ou cidadãos de boa vontade. Afinal não podemos fazer tudo. Só temos uma cabeça e duas mãos...

— E deixo o último soldado lá, não?

— Exatamente. O recrutamento de que precisamos já por aí estará sendo feito. Sargento Cabral dará conta do recado. — E o Capitão Arquimínio inquiriu os circunstantes: — Há radioamadores cá na cidade?

— Não. Não há — responderam. — Havia um rapaz que mexia com isto, mas mudou-se para Varzeópolis.

Fez uma cara constrangida:

— Devíamos ter trazido o transmissor de campanha...

— Eu é que fui culpado! — apressou-se a dizer o Tenente Adelmar. — Na verdade me esqueci. Mas foi tanta a pressa de sairmos...

O capitão sorriu:

— Que o general não saiba... Bem, haveremos de dar um jeito. — E batendo com a palma da mão na mesa: — Vá em frente, tenente! E obre ligeiro. Para facilitar, requisite aí um automóvel. O jipão fica à minha disposição.

— Requisito, não tenha dúvida.

Cabo Galo insinuou:

— O Aero-Willys do Seu Zéfredo está na porta...

— Serve. É boa marca... — e o Tenente Walfrido reuniu os quatro soldados, equipados como podiam, e saiu. O capitão dirigiu-se ao Tenente Adelmar:

— Com os outros quatro soldados, que por enquanto contamos, vá controlar as saídas da cidade. São quatro, como verificamos ao estudar o mapa da região. Ponha um em cada estrada, sujeito a rendição, e Sargento Cabral vai resolver tal parada com a rapaziada do Tiro. Não passa ninguém motorizado ou a pé, mesmo que se trate de morador das cercanias, sem salvo-conduto tirado aqui na Cadeia. Sargento Cabral ficará providenciando a questão. Deve conhecer o povo todo daqui, não é?

— Conheço mais ou menos. Qualquer ignorância eu tirarei a limpo.

— É isso mesmo. Suspeito não pode passar.

Sargento Cabral não tinha a menor idéia de quem pudesse ser suspeito, mas garantiu que a suspeitos não daria o salvo-conduto.

— Depois de espalhar os soldados nas bocas de estrada, o tenente dará uma passagem na Luz e Energia. Já deve encontrar lá um soldado, que Sargento Cabral designará. Converse com o diretor da joça. Dê garantias e obtenha informações. E, como arremate, vá ao Hotel e consiga acomodações. Se não houver, desaloje gente! Precisamos de banho e bóia. Depois de banhados e comidos, iremos nós dois para a função na Prefeitura, enquanto Tenente Walfrido ficará aqui na Cadeia supervisionando as ações.

Banhados, barbeados e comidos, o Capitão Arquimínio e o Tenente Adelmar às oito horas — e o calor não diminuíra com a descida da noite — enquanto Tenente Walfrido ia para o plantão da Cadeia, davam entrada na Prefeitura, furando a onda de povo que na frente do edifício murmurantemente se acotovelava. O Juiz de Direito lá estava, safado da vida, esperando há mais de quatro horas! e nem desculpas recebeu. Na sala da tesouraria, com sentinela na porta, encontrava-se Zéfredo para ali enviado sob escolta, quando o capitão deixara a Cadeia rumo ao Hotel, e com visíveis sintomas de completa desmoralização. Quanto aos detidos, haviam sido liberados pelo Juiz de Direito, a mando telefônico do capitão, após terem sido convenientemente arrolados para futuras averiguações. A capangada azulara.

Na sala de sessões, o capitão foi tomando a palavra:

— Meus senhores: Não sei fazer discursos, serei breve e objetivo. Falta idoneidade e serenidade ao Senhor José Alfredo de Mendonça, que não herdou as tradições de seu ilustre avô, para exercer o cargo de Prefeito. Que o Vice-Prefeito assuma a direção dos trabalhos. Reconsiderando minha idéia inicial, recomendo que seja feita a revisão das cassações efetuadas, assegurando a permanência dos injustamente perseguidos e empossando os suplentes dos que foram realmente considerados corruptos e subversivos. Tudo tem de ser absolutamente legal. Ponha depois em votação o impedimento do Prefeito. Vai ficar sem imunidades para responder ao processo criminal por abuso do poder e comprovada prática de sevícias. Que sejam iniciados os trabalhos! — comentou. — Eu e o Tenente Adelmar, como representantes do Alto Comando Revolucionário, mais o Senhor Juiz de Direito, ficaremos de parte, como simples observadores e respeitadores da Lei.

Em meia hora, os cassados haviam sido reconduzidos ao cargo, menos um, que desaparecera, tendo sido convocado o seu suplente presentíssimo, e Zéfredo perdeu o mandato por unanimidade.

O capitão levantou-se e pediu a palavra:

— Creio, Senhores, que a progressista Guarantimba inicia o retorno à calma e ao bom-senso, de que se viu momentaneamente privada por circunstâncias que seriam inúteis enunciar. Pude *de visu* comprová-lo através do procedimento dos dignos representantes do povo, nesta memorável sessão. Agora...

Aí tilintou a campainha do telefone que havia na mesa, no lugar da presidência. Era para o capitão.

— Com licença — desculpou-se e pegou no fone que lhe estendia o Vice-Prefeito. — Alô! Alô! É o Capitão Arquimínio.

Como? O general? Boa noite, Excelência. Um momento. — Tapou o bocal com a mão, virou-se para a assembléia: — Senhores, queiram fazer silêncio. É uma comunicação.

Todos estavam mudos, olhos pregados no capitão, e mudos permaneceram. Ele destampou o fone: — Pronto, meu general. Podemos falar... Sim... Sim... Perfeitamente, meu general... Operação cumprida dentro do esquema traçado pelo Alto Comando...

Tenente Walfrido falava-lhe da Telefônica, tendo por ouvinte a telefonista da noite, quarentona de óculos e cabelos frisados:

— Percorri toda a cidade, capitão, como era da minha atribuição. Reina a mais completa ordem. Todas as fábricas que tinham serão estão com tais serviços normalmente restabelecidos. Aqui na Telefônica não foi feita nenhuma ligação de fora ou para fora... (A telefonista balançou a cabeça afirmativamente.) E os telegramas chegados estão já com visto para serem entregues. Os a transmitir aguardam a sua decisão, capitão...

E o capitão:

— A situação está dominada. Inteiramente dentro das determinações recebidas. Não comuniquei ao QG, pois ainda se processam algumas ações e porque tivemos dificuldades com o transmissor. Não... Pequeno imprevisto, general... Mas resolveremos o empecilho com presteza...

Tenente Walfrido:

— Quais são as suas determinações? Muito bem. Muito bem... Entendi perfeitamente... Serão cumpridas...

O capitão:

— Não, general. Não houve reação. O povo é pacífico e compreensivo. Sim... Sim... Absoluta receptividade. O que havia era uma série de mal-entendidos e abuso do poder. E alguns elementos reconhecidamente vermelhos estão na nossa mira... Sim, não escaparão, general...

Tenente Walfrido:

— Sargento Cabral incorporou doze reservistas do Tiro. Bem... Bem... Me parecem rapazes convictos do dever. Temos agora homens suficientes...

O capitão:

— Sim, afastamos o Prefeito. O Vice-Prefeito entrou em exercício (e o Vice-Prefeito apurou o ouvido) com o senso de responsabilidade que sabia lhe caber. A Câmara Municipal (e os vereadores redobraram de atenção) agiu dentro dos melhores princípios democráticos. Exatamente... O Juiz de Direito (e Doutor Estêvão Costa ficou de orelha em pé) cooperou de maneira completa e eficaz. Como? Sim, qualquer acontecimento extraordináro eu comunicarei... Não, não precisarei de reforços. O Tiro de Guerra local apresentou-se maciçamente para cooperar com a Revolução.

Tenente Walfrido:

— Então vou cumprir a recomendação. Compreendi perfeitamente. Obrigado. Com a sua permissão, capitão, vou desligar.

O capitão:

— Não me esquecerei, meu general... Muito boa noite, Excelência... Tudo marcha normal aí?... É o que esperava... Aqui também, como dei ciência. Agradecido, Excelência... Transmitirei aos companheiros... Boa noite... — Pousou o fone e, muito seguro de si, reencetou a falação: — Se fui simples e objetivo nas minhas primeiras palavras neste recinto, objetivo pretendo continuar agora, mas um pouco mais prolixo. O momento é de liberação nacional. Liberação e recuperação. Andávamos a ponto duma guerra civil, que as Forças Armadas evitaram. Os brasileiros precisam urgentemente se unir, superar os ressentimentos, levantar as energias e possibilidades infindas, caminhar para um futuro radiante, que é o legítimo destino de nossa Pátria! Precisam, sobretudo, ser práticos, realistas, positivos! Guarantimba é um núcleo reconhecido como progressista e ordeiro e tudo deve fazer para confirmar o elevado conceito de que desfruta. O que passou, passou. — Elevou a voz: — Os culpados serão punidos como exemplo! Mas os homens de boa vontade, e os porventura iludidos, devem formar num exército único e forte para a crescente grandeza da terra e para a crescente prosperidade de cada um de tais soldados! Vamos nos unir. A união faz a força! Devemos, antes de mais nada, superar as divergências entre povo e classes produtoras. O povo passa necessidades. A vida está difícil, temos que reconhecer. (Algumas cabeças sacudiram afirmativamente.) Não devemos pensar em esmola. Devemos pensar em socorro. Dar a mão a quem precisa de amparo e proteção. Socorrer os irmãos menos afortunados é dever cristão de todo cidadão probo e consciente e não é outra coisa o que preconiza o Santo Papa João XXIII na sua admirável mensagem de fé e de amor ao próximo. Proponho, portanto, como início dum amplo movimento de aproximação das classes, a criação de um Fundo de Assistência Popular, cujas finalidades e atuação serão motivo de conferências, entre os homens proeminentes da cidade e a minha pessoa modestamente representando o Alto Comando Revolucionário, cujo programa vai imprimir outro horizonte aos problemas brasileiros. — Deixou o tom oratório, um tanto na base do camelô, entrou no coloquial: — Para início de atividades, organizemos uma Comissão da qual o Doutor Estêvão Costa seria o Presidente e que começaria a angariar donativos. Há quem discorde da escolha?

Ninguém se opôs. E ele:

— Muito bem. Rogava ao Doutor Estêvão que indicasse um cidadão reconhecidamente idôneo para integrar a Comissão.

O Juiz de Direito deu uma olhada em volta e parou no vereador Guimarães, idoso, encanecido, cirurgião-dentista, que não admitia no poeirento consultório da Rua 15 de Novembro qualquer novidade odontológica.

— Proponho o Doutor Anacleto Guimarães.

A aprovação foi geral e o dentista de broca de pé sacudiu a cabeça satisfeito com o pronunciamento.

— Mas como uma boa Comissão deve ter três membros, em meu nome e nos dos meus companheiros, indico a pessoa do Vice-Prefeito para terceiro membro.

A aprovação foi outra vez geral.

— Ótimo! Entrego ao Doutor Guimarães a incumbência de ser o Tesoureiro. Todas as quantias arrecadadas ficarão sob a custódia do Doutor Guimarães. A Comissão percorrerá as fábricas, todas, e as principais casas de comércio, somente as principais, faço empenho de encarecer, salvo se outras, menores, espontaneamente se ofereçam. Cada membro deverá obrigatoriamente passar recibo da importância doada, que servirá de documento hábil para efeito de justificação junto ao Imposto de Renda. Se por acaso receberem em cheque, devem descontá-lo logo. Doutor Guimarães terá, em livro especial e devidamente rubricado, as entradas rigorosamente atualizadas e nominais, mas na Caixa não cabe nomes. — Subiu ao tom oratório: — O dinheiro deve ser anônimo! O que é dado para fins altruísticos não pertence mais a quem deu, transforma-se em bem comum, em generoso patrimônio a ser dividido pelos que, sem discriminações, necessitem ser amparados e com isso saneados estarão muitos campos de conflito social que a ninguém interessam! — Retornou ao coloquial: — Contudo a campanha da Comissão ficaria incompleta se não apelássemos para a cooperação das damas, cujo espírito caritativo e capacidade de ação piedosamente achacadora, sejamos francos, são infinitamente superiores ao sexo forte. (Risos.) Para pleno êxito do nosso empreendimento, criemos, por conseguinte, um Comitê Feminino, que poderia, a critério próprio, se subdividir em vários outros, a fim de mais prontamente obter os resultados que almejamos. (Alguns aplausos.) Proponho para Presidente do Comitê a Excelentíssima esposa do Juiz de Direito.

— Infelizmente sou viúvo — declarou, compungido, o magistrado.

— Com mil perdões! — e o capitão curvou-se como se apresentasse atrasadas condolências. — Então sugiro que a presidência do Comitê recaia na senhora do Vice-Prefeito. (Palmas.) Assessorada pela esposa do Doutor Guimarães e pela esposa do deputado Magalhães. (Mais palmas.) Creio que é um Comitê de escol. (Ainda mais palmas.) Caberia às damas conseguir com a sua gentil e infalível lábia (Risos.) gêneros alimentícios, remédios, brinquedos velhos, roupas usadas e jóias. Quanta roupa usada não está atulhando inutilmente armários e gavetas? Quantos brinquedos quebrados ou abandonados pela gurizada não estão atravancando quartos de guardados? Quantos pares de brincos não ficaram reduzidos a um só, quantos anéis há nos escrínios e que não mais são usados, quantas correntinhas e pulseiras não estão partidas, quantos broches quebrados, quantas medalhas sem a argolinha?!... E tudo isso, que está esquecido ou superado, tem valor. Verão que tem valor! Dentro de poucos dias faremos um primeiro leilão, numa das belas praças da cidade, e a generosidade guarantimbense poderá se evidenciar, arrematando tais berloques com espírito filantrópico, numa emulação que só poderá ser bem vista aos olhos de Deus. Os gêneros e as roupas conseguidas poderão ficar armazenados na casa do senhor Vice-Prefeito. Quanto às jóias, já que são valores, modestos que sejam, ficarão entregues ao Doutor Guimarães, devidamente arroladas em livro adequado. E agora, tendo dito o que pretendia, peço desculpas se me alonguei demasiadamente e vamos meter mãos à obra! Boa-noite, senhores!

O Capitão Arquimínio conquistou a praça. O Comitê Feminino — Dona Consuelo, Dona Maria da Glória Guimarães e Dona Estelinha Magalhães — parlamentou animadamente com ele, traçando grandes planos assistenciais, e foram dois dias de febril entusiasmo e arrecadação. Doutor Estêvão Costa, Anacleto Guimarães e o deputado Magalhães — logo chamados de "Os Três Mosqueteiros" — arrancaram dinheiro de quem podia e de quem não podia. A residência do Vice-Prefeito parecia um armazém e Dona Consuelo mais despótica se mostrava; Doutor Guimarães suspendeu os clientes, não tinha mãos a medir, e Dona Maria da Glória não parava um minuto em casa. Na noite do segundo dia, o capitão marcou o primeiro leilão, que seria na Praça Rui Barbosa, o leiloeiro em palanque especial, circundado de escoteiros, e o maestro Fidó, na concha acústica, regendo a Filarmônica, também gaiatamente conhecida como "A Furiosa". Para maior brilhantismo, a Luz e Energia compareceria com a mais feérica iluminação possível.

— Quero muitas lâmpadas coloridas! — intimava o capitão.

— Vai tê-las! — garantia o diretor da empresa, que assinara polpudos cheques em nome dela e em seu próprio nome.

No dia do leilão, marcado para as 8 da noite, a lufa-lufa era grande, e por volta das 5 o capitão mandou que Sargento Cabral fosse buscar Genésio no Hospital. Veio ainda meio mole, mas positivamente satisfeito.

— Está melhor do massacre, meu amigo? — perguntou o capitão com um sorriso.

— Ainda sinto minhas dores, mas estou.

— Ainda bem. Tenho um serviço para você. Sabe dirigir automóvel?

— Sei.

— Tanto melhor. Pegue o fusca vermelho que está aí na porta — e deu-lhe a chave do carro —, vá em casa, arrume sua mala, bem arrumada que é viagem para demorar, rape o dinheiro que puder e às 6 e pouco se mande para a estrada de Varzeópolis, pela rua de baixo, de maneira que não se faça notar muito. Já não encontrará sentinela lá. A um quilômetro da cidade, encoste o fusca e espere. Lá irei, não se preocupe com a demora. Saberá, então, o que irá fazer depois. Tem algum inconveniente?

— Nenhum! — e os olhos de Genésio fulguraram.

— Então, vá em frente. E boca fechada, hem!

— Não precisa dizer... Boca de siri!

E logo o Tenente Adelmar foi enviado com recado para o Doutor Guimarães — que aguardasse a visita; iria procurá-lo entre 6 e 7 horas e que não saísse sem que ele chegasse.

— Sargento Cabral! — chamou.

— Pronto, capitão!

— Hoje mande render a guarda das estradas mais cedo. Retire o soldado da estrada de Varzeópolis. Vou fazer uma experiência. Quanto à rendição dos homens na Telefônica, no Telégrafo e na Rádio, deixe-a a cargo do Tenente Walfrido. Entendido?

— Entendido!

— Vou dar uma volta na Praça Rui Barbosa para ver como andam os preparativos para o leilão. Combinaremos mais tarde o policiamento da festança. Vai ser uma festança que deixará saudades...

Às 6,30 Tenente Walfrido apareceu no Correio, dispensou o soldado e os postalistas para comparecerem à festa, prendeu o telegrafista na privada imunda e destramente cortou os fios telegráficos; bateu para a Telefônica, mandou o soldado e os empregados embora — Vão para a festa, que vai ser de arromba! — e inutilizou a mesa telefônica; daí, dirigiu-se à Rádio, prendeu o pessoal numa sala, ordenou que o soldado se recolhesse ao quartel e arrebentou com quanta aparelhagem encontrou. Feito isto, tocou a caminhonete para a estrada de Varzeópolis, onde já encontrou Genésio, fumando, de olho na estrada, e que logo perguntou:

— E o capitão?!

— Está chegando. Não demora.

Era um quarto para as 7, quando o capitão e o Tenente Adelmar, que portava uma maleta, chegaram à casa do cirurgião-dentista, cujo cheiro de ácido fênico se sentia ao abrir a porta:

— A senhora está?

Guimarães era todo sorrisos e mesuras:

— Não, capitão... Está rodando por aí. — Riu: — Não pára mais em casa... Estou sozinho. Nem a criada está. Foi trafegar com mandados da Maria da Glória...

— Tanto melhor... Tanto melhor... Senhor Tesoureiro, vamos conferir a caixa. — Puxou o revólver: — Se não quer morrer, fique calado.

Guimarães não relutou. Num relance a maleta estava cheia do dinheiro, das jóias e mais alguns haveres do dentista.

— O doutor é um admirável Tesoureiro!... Mas vamos meter uma bucha nesta boquinha e amarrá-lo no consultório muito bem amarradinho... Seguro morreu de velho...

E foram se encontrar com Tenente Walfrido e Genésio. O sol se escondia na serra, quando chegaram... Não perderam tempo — atravessaram o fusca e a caminhonete na estrada, espalharam estopa embaixo deles, ensoparam tudo de gasolina, tocaram fogo.

— Cortada a retirada! — riu o capitão.

— Vamos sair de perto pois poderão explodir logo! — avisou Adelmar.

— Vamos! — gritou o capitão. — E você vai também, amigo Genésio. Se ficar aqui não dou um tostão furado por seu esqueleto nas unhas de Zéfredo! Ele não tem boas entranhas...

Entraram no jipão, Walfrido tomou a direção, partiram a toda brida, o ar era puro capim-gordura. Rodaram umas três horas, entraram numa cidadezinha adormecida, encostaram o carro na estação deserta.

— Agora vamos nos separar, amigo Genésio. Pegue um trem aqui e tome o rumo que quiser. Ande sempre de trem. Não se meta em ônibus. Ônibus é uma espécie de beco sem saída.

— Seguirei o conselho... Vou me enfiar em casa de uns parentes no Espírito Santo.

— Que o Espírito Santo te proteja... Você, Genésio, é um bom camarada. Simpatizamo-nos com você.

— Obrigado. O mesmo aconteceu comigo. Vocês são uns anjos! E chegaram na hora...

— E saímos na hora...

— Sim. E para onde vão?

— Vamos fazer outra praça.

Genésio riu:

— Qual?

Walfrido deu arranque no motor:

— Segredo profissional.

Eddy Dias da Cruz nasceu no Rio de Janeiro, no bairro tão bem cantado por Noel Rosa: Vila Izabel, a 6 de janeiro de 1907. Filho de Manuel Dias da Cruz e Rosa Reis Dias da Cruz, estudou no Colégio Pedro II e começou o curso de medicina, largando-o quase no começo.

Trabalhou no comércio e foi, também, Inspetor de Ensino Secundário, no Ministério de Educação e Cultura. Seu primeiro livro, Oscarina, *foi publicado em 1931. A seqüência de seus livros está na Bibliografia, ao final deste volume. Casou-se duas vezes, teve dois filhos: José Maria Dias da Cruz, pintor, e Maria Cecília. Membro da Academia Brasileira de Letras, morreu no Rio de Janeiro, em 26 de agosto de 1973.*

1 — **Ficção:**

Oscarina *(Contos). Rio de Janeiro, Schmidt editor, 1931; 2.ª edição, revista, Rio de Janeiro, Livraria José Olympio Editora, 1937; 3.ª edição, Rio de Janeiro, Edições O Cruzeiro, 1948; 4.ª edição, São Paulo, Livraria Martins Editora, 1960; 5.ª edição, Rio de Janeiro, Edições de Ouro, 1966; 6.ª edição. (Nota explicativa de Paulo Mendes de Almeida. Capa e ilustrações de Vicente di Grado.) São Paulo, Clube do Livro, 1973; 7.ª edição, Rio de Ja-*

neiro, Edições de Ouro [s/d]. *(O conto que dá título ao livro foi publicado originariamente na "Revista Sousa Cruz", em 1931, ganhando o prêmio, no gênero, instituído por aquele periódico.)*

Três caminhos *(Contos). Rio de Janeiro, Ariel Editora Ltda., 1933; 2.ª edição, in* Oscarina; *3.ª edição, Rio de Janeiro, Edições O Cruzeiro, 1948; 3.ª edição,* in Oscarina; *4.ª edição, São Paulo, Livraria Martins Editora, 1960; 4.ª edição, in* Oscarina; *5.ª edição, Rio de Janeiro, Edições de Ouro* [s/d].

Marafa *(Romance). Grande Prêmio de Romance Machado de Assis. São Paulo, Companhia Editora Nacional, 1935; 2.ª edição, Rio de Janeiro, Edições O Cruzeiro, 1947; 3.ª edição, revista, São Paulo, Livraria Martins Editora, 1957; 4.ª edição, Rio de Janeiro, Edições de Ouro* [s/d]; *5.ª edição, Edições de Ouro* [s/d].

A estrela sobe *(Romance). Rio de Janeiro, Livraria José Olympio Editora, 1939; 2.ª edição, Rio de Janeiro, Edições O Cruzeiro, 1949; 3.ª edição, São Paulo, Círculo Literário, 1949; 4.ª edição, São Paulo, Livraria Martins Editora, 1957; 5.ª edição, Rio de Janeiro, Edições de Ouro* [s/d]; *6.ª edição, Rio de Janeiro, Livraria José*

Olympio Editora, 1974; 7.ª edição, Rio de Janeiro, Edições de Ouro [s/d].

Stela me abriu a porta *(Contos). Porto Alegre, Edição da Livraria do Globo, 1942.*

Cenas da vida brasileira *("Suite n.º 1"). Rio de Janeiro, Irmãos Pongetti-Editores, 1944; 2.ª edição, conjuntamente com a "Suite n.º 2", Rio de Janeiro, Edições O Cruzeiro, 1951; 3.ª edição (Prefácio de Herberto Sales), Rio de Janeiro, Edições de Ouro [s/d].*

O trapicheiro *(Romance Prêmios Jabuti, da Câmara Brasileira do Livro, Carmen Dolores Barbosa e do Instituto Nacional do Livro). São Paulo, Livraria Martins Editora, 1959.*

A mudança *(Romance) (Prêmio Luiza Cláudio de Sousa, do Pen Clube do Brasil). São Paulo, Livraria Martins Editora, 1962.*

O simples Coronel Madureira. *Rio de Janeiro, Biblioteca Universal Popular S.A., 1967.*

A guerra está em nós *(Romance). São Paulo, Livraria Martins Editora, 1968.*

Vejo a lua no céu *(Vinhetas de Percy Deanne). Rio de Janeiro, Fontana, 1973.*

Seleta *(Organização, estudo e notas do Professor Ivan Cavalcanti Proença). Rio de Janeiro, Livraria José Olympio/ MEC-Instituto Nacional do Livro, 1974.*

1.1 — **No exterior:**

La estrela sube. *Buenos Aires, Editorial Hemisferio, 1952.*
A estrela sobe. *Lisboa, Edições "Livros do Brasil", 1968.*

2 — **Literatura infantil:**

A casa das três rolinhas *(Em colaboração com Arnaldo Tabaiá). Porto Alegre, Livraria do Globo, 1939.*

Aventuras de Barrigudinho *(Em colaboração com Arnaldo Tabaiá). Rio de Janeiro, Pongetti, 1942.*

Pequena história de amor *(Em colaboração com Arnaldo Tabaiá). Rio de Janeiro, Editora Criança, 1942.*

Pasteur, o inimigo da morte. *São Paulo, Editora Donato, 1960.*

Florence Nightingale, a Dama da Lanterna. *São Paulo, Editora Donato, 1960.*

3 — **Teatro:**

Rua Alegre, 12. *Curitiba, Editora Guaíra Limitada, 1940.*

4 — **Literatura didática:**

ABC de João e Maria *(Em colaboração com Santa Rosa). Rio de Janeiro, Cia. Nestlé, 1938.*

Pequena Tabuada de João e Maria *(Em colaboração com Santa Rosa). Rio de Janeiro, Cia. Nestlé, 1939.*

Amigos e inimigos de João e Maria *(Em colaboração com Santa Rosa). Rio de Janeiro, Cia. Nestlé, 1939.*

Cartilha Cruzeiro *(Em colaboração com Herberto Sales e Santa Rosa). Rio de Janeiro, Edições O Cruzeiro, 1959.*

Antologia Escolar Brasileira. *Rio de Janeiro, Ministério da Educação e Cultura/Companhia Nacional de Material de Ensino, 1967.*

Brasil, Terra e Alma — Guanabara. *Rio de Janeiro, Editora do Autor, 1967.*

Antologia Escolar Portuguesa. *Rio de Janeiro, Ministério da Educação e Cultura/Fundação Nacional de Material Escolar, 1970.*

Rio *(Texto do álbum fotográfico editado pela Agência Jornalística IMAGE). Rio de Janeiro, 1970.*

5 — **Ensaios e crônicas sobre letras e artes:**

20 artistas brasileños *(Catálogo). Edições do Museu Provincial de Belas Artes, La Plata; Ministerio de Justicia y Instrución Publica, Buenos Aires, e Comisión Municipal de Cultura, Montevidéu, 1945.*

Bibliografia de Manuel Antônio de Almeida. *Rio de Janeiro, Ministério da Educação e Saúde/Instituto Nacional do Livro, 1951.*

Vida e obra de Manuel Antônio de Almeida. *Rio de Janeiro, Ministério da Educação e Saúde/Instituto Nacional do Livro, 1943; 2.ª edição, refundida, São Paulo, Livraria Martins Editora, 1963.*

Discursos de posse e de recepção *(Sucessão de Magalhães Azeredo. Em colaboração com Aurélio Buarque de Holanda). Separata do 19.º volume de* Discursos Acadêmicos, *Rio de Janeiro, Academia Brasileira de Letras* [s/d]; *in* Discursos Acadêmicos, *Tomo VII, Rio de Janeiro, Academia Brasileira de Letras* [s/d].

Discursos na Academia *(Em colaboração com Francisco de Assis Barbosa). Rio de Janeiro, Livraria José Olympio Editora, 1971.*

Encontro na Academia. *(Em colaboração com Herberto Sales). Rio de Janeiro, Edições O Cruzeiro, 1972.*

6 — **Livros de viagem:**

Cortina de ferro. *São Paulo, Livraria Martins Editora, 1956.*
Correio europeu. *São Paulo, Livraria Martins Editora, 1959.*

SUMÁRIO

IMPRESSÃO E ACABAMENTO
Bartira Gráfica e Editora Ltda.